増補新版

だれか、ふつうを教えてくれ!

倉本智明

よりみちパン!セ

SCHOOL BUS
EXPORT

100%ORANGE

だれか、ふつうを教えてくれ！　もくじ

増補新版　だれか、ふつうを教えてくれ！

第1章

ふわふわとしたことばが隠《かく》してしまうもの

変化《へんか》が訪《おとず》れた日

小学校の四年か五年に上がったころだったと思います。ぼくたち男子の遊びが、それまでのものと大きく変《か》わったのは。

低学年《ていがくねん》のころは、遊びといえば、缶蹴《かんけ》りや秘密基地《ひみつきち》づくり、テレビのヒーローものをまねてのごっこ遊びなんかが中心でした。あとは、オセロや人生ゲームなんかのボードゲームをやったり、プラモデルをつくったりとか。休みの日には、親にねだって買ってもらったカメラをもって、駅に電車の写真を撮《と》りに行ったりもしました。

ところが、小学校も高学年になったあたりでしょうか、ぼくたちの遊びに変化《へんか》が訪《おとず》れました。クラスの男子の大半は、放課後《ほうかご》、毎日のように、バットやグローブを手にグラウンドに集合するようになったんです。当時、男の子たちに一番人気のあるスポーツが野球でした。みんながいっせいに、野球に夢中《むちゅう》になったんですね。

この変化《へんか》は、ぼくにとって重大事でした。

いま、ぼくの目は、片方《かたほう》がほんのちょっぴり光をとらえる程度《ていど》で、ほとんど見えません。だけど、二十歳《はたち》を過《す》ぎるころまでは、道路の状態《じょうたい》や障害物《しょうがいぶつ》の有無《うむ》を探《さぐ》るための白い杖《つえ》なしでも歩けるくらいの視力《しりょく》がありました。それどころか、自転車にも乗れた。子どものころは、よく友だちと連《つ》れだって、街中《まちなか》を走りまわっていました。自転車に乗れるくらいだから、缶蹴《かんけ》りをしたり、秘密基地《ひみつきち》をつくったりするのも問題はありません。

子どものころだって、まったく目に障害《しょうがい》がなかったってわけじゃないんですよ。たとえば、友だちがぼくから離《はな》れてちょっと遠くに走って行ったりすると、どこに行ったかすぐわからなくなってしまいました。プラモデルの設計図《せっけいず》なんかも、細かな部分が読めなくて、勘《かん》に頼《たよ》ってつくっていたせいで、完成《かんせい》したのになぜか部品が余《あま》っている……、なんてことがあったり。

だけど、友だちと一緒《いっしょ》に遊べないとか、楽しめないといったほどのことはありませんでした。たまに缶蹴《かんけ》りなんかで、目標《もくひょう》がよく見えず、缶《かん》ではなく宙《ちゅう》を蹴《け》ったりするようなドジをやらかすことはあっても、その程度《ていど》の話です。障害《しょうがい》をもたない、いわゆる「ふつう」の子どもたちのなかにも、どんくさかったり不器用《ぶきよう》だったりする子はいますよね。どんくさくも不器用《ぶきよう》でもないやつだって、たまには失敗《しっぱい》するし。そんななかで、障害《しょうがい》のあるぼくだけが浮《う》き上《あ》がることはなかった。ぼく自身、自分の障害《しょうがい》をマイナスのものとして特別《とくべつ》に意識《いしき》する必要《ひつよう》がなかったわけです。

けれど、野球となると話はちがってきます。野球のボールは小さい。しかも、人の動きとくらべると、ずっと速く飛《と》ぶわけです。ちょっと遠くへ走って行った友だちの姿《すがた》すら、すぐに見失《みうしな》ってしまうぼくの目です。とてもじゃないが、追っかけることなんてできません。

低学年《ていがくねん》のころにも、ボールを使った遊びはありました。たとえば、地面にバウンドさせたゴムボールを掌《てのひら》で打ち合うようなゲームとか。いまも、子どもたちはやっていたりするのかな？　台とラケットなしでやる卓球《たっきゅう》のようなものを想像《そうぞう》してもらえればわかりやすいかと思います。

この遊びは至近距離《しきんきより》での対戦《たいせん》ですから、あまり馬力のないぼくの視力《しりょく》でもなんとかついていくことができました。どちらかというと苦手な遊びではありましたけど、それなりに楽しみを見つけることもできた。

ドッジボールなんかもおなじです。速い球をうけとめて投げ返したりはできなかったけれど、飛《と》んでくるボールをよけたり、たまにやってくるへなちょこ球をキャッチすることくらいはできました。ヒーローにはまちがってもなれなかったけれど、みんなと一緒《いっしょ》にゲームに参加《さんか》しているという実感はもてました。

一方、野球は、完全《かんぜん》なお手上げ状態《じょうたい》です。まず、守備《しゅび》は一〇〇パーセント、ペケ。運よく真っ正面に球が飛《と》んできたとしても、「あっ、ボールが来た！」と気づいてからでは動作がまにあいません。顔の前まで近づかないと、ぼくの目じゃ球をとらえられないんですね。おでこにバコン！　なんてこともありました。痛《いた》いぞ、こんにゃろう！　まぁ、軟式《なんしき》ですし、たいした打球でもありませんでしたから、ケガをするようなことはなかったけれど。

打撃《だげき》も似《に》たり寄《よ》ったりです。バットを振《ふ》っても、まずあたりません。だって、球が見えるのは、目の前を通過《つうか》する瞬間《しゅんかん》になってからなんだもの。それからスイングしたってまにあうはずないわけで。バントだと、ごくたまにあたりましたけどね。でもやはり、まぐれに近い。

これじゃあ、野球をやっていても、おもしろいわけがありませんよね。しかも、練習したらうまくなれるっていうならともかく、どんなにトレーニングにはげんだって、ぼくの目は、飛《と》んでくるボールをすばやくとらえられるようになったりはしません。もし、そんなことがあったら、「倉本《くらもと》くんの目は治《なお》りませんよ」との診断《しんだん》を下した医者の立《た》つ瀬《せ》がなくなっちゃう。ぼくの目は、『アルプスの少女』で主人公のハイジの励《はげ》ましによって歩けるようになったクララの足とはちがうんです。

野球という遊びの登場は、ぼくに、自分が周囲《しゅうい》の人たちとは異《こと》なる部分をもっていること、ふつうという枠《わく》から外《はず》れたからだの持ち主であることを否応《いやおう》なく意識《いしき》させました。

それまで、障害《しょうがい》はぼくにとって、たとえば、背《せ》が高い人もいれば低《ひく》い人もいる、足が速い人もいれば遅《おそ》い人もいる、といったくらいの意味しかもっていませんでした。そのことで損《そん》をしたり、くやしい思いをすることがないわけではなかったけれど、自分の生きているという実感全体に影《かげ》を落とすほど、どっしりと重たい存在《そんざい》ではなかったんですね。

あっ、いや、背丈《せたけ》のことや、足が遅《おそ》かったりすることをすごく悩《なや》んでいる人もいることでしょう。それらはささいなことだ、ということではありません。人それぞれに、事柄《ことがら》のもつ意味合いはちがいますから。あくまで、ぼくにとってはさほど重たい問題ではなかった、みんなが野球に興《きょう》じはじめる以前《いぜん》は、ぼくの障害《しょうがい》もまた、背丈《せたけ》や足の速い遅《おそ》いの問題とおなじようなものだった、というだけのことです。

障害《しょうがい》そのものは前から自分のからだにそなわっていたわけで、なんら変《か》わったりはしていません。にもかかわらず、かつてはさほど意識《いしき》する必要《ひつよう》もなかったはずのものが、急に重たい存在《そんざい》としてぼくをとらえるようになったのです。遊びの変化《へんか》、少し言い方を変《か》えるならば、人と人との交わり方のかたちの変化《へんか》が、それをもたらしたわけです。

ぼくは失敗《しっぱい》しなくてもいいの？

だけど、ぼくはラッキーでした。友だちにめぐまれていたんでしょうね。昨日《きのう》まで一緒《いっしょ》に楽しく遊んでいたぼくが野球ではつまらなそうにしている、こりゃ、どうにかせんとあかんなと、みんなは考えてくれました。ありがとうな、友よ。

そして提案《ていあん》されたのが、ぼくのための変則《へんそく》ルールです。こんな感じだったと思います。

まず守備《しゅび》ですが、先にも書いたとおり、ぼくは木偶《でく》の坊《ぼう》です。打球が飛《と》んできても、まずキャッチすることはできません。せいぜい、ゆるゆるのゴロくらいでしょうか、拾うことができるのは。

かといって、守備《しゅび》そのものを免除《めんじょ》、というわけにもいかない。人数の問題もありますが、味方チームが守っているあいだ、ぼくだけひとりベンチに座《すわ》っているというのは、それはそれでつらそうじゃありませんか。

そういうわけで、ぼくも一応守備《いちおうしゅび》には入るけど、なるだけ球が飛《と》んでくる確率《かくりつ》の低《ひく》いポジションを、ということになり、たいていはライトを守りました。実際《じっさい》には、守ってなんていないんですけどね。立ってるだけ。もし打球が飛《と》んできたら、あらかじめぼくの守備範囲《しゅびはんい》までカバーするようスタンバイしていたセンターがダッシュするんです。ご苦労《くろう》さまです。

つぎは打撃《だげき》です。ふつうに投げたんじゃ、ぼくがヒットを放つ可能性《かのうせい》はほとんどありません。そこで、投手に通常《つうじょう》の二分の一くらいの距離《きょり》まで前に寄《よ》ってきてもらうことになりました。しかも、投げるのは、山なりのゆるい球。

これだって、バットを振《ふ》ったんじゃあたらないんですよね。だから、最初《さいしょ》から常《つね》にバントの構《かま》えです。それでも、球があたる確率《かくりつ》は、周《まわ》りのみんなより低《ひく》かったんじゃないかな。

けど、あたるとたまには出塁《しゅつるい》することができました。バントなのにね。そのへんは、まぁ、本格的《ほんかくてき》な少年野球をやっているわけでもない、ただのガキの遊びです。エラーをするやつなんかも結構《けっこう》いて、バントでもヒットになることがちょくちょくあるわけです。

出塁《しゅつるい》したらしたで、また難問《なんもん》が待ちかまえています。つぎの打者がヒットを打ったかどうか、一塁《るい》や二塁《るい》からでは、ぼくには見えないんです。カキーンとか、コキーンとかいう音は聞こえるんですけどね。ファールかもしれないし。適当《てきとう》に走ったりしたらえらいことです。

そこで、ぼくが出塁《しゅつるい》した場合《ばあい》は、チームメイトのうち、しばらく打席《だせき》がまわってこない誰《だれ》かが横について、「ダッシュ！」とか「戻《もど》れ！」といった具合《ぐあい》に、声をかけることになりました。とりあえず、走る方向はわかるし、そばまで近づけばベースも見えるので、これでどうにかOKです。ホームベースを踏《ふ》んだこともありますよ。

もしかすると、これとよく似《に》たエピソードをどこかで聞いたことがある人もいるかもしれませんね。そう、乙武洋匡《おとたけひろただ》さんのベストセラー『五体不満足《ふまんぞく》』に、おなじような話が紹介《しょうかい》されていました。

乙武《おとたけ》さんは、生まれつき、肩《かた》や腰《こし》に近いごく一部を除《のぞ》いて手足がないという障害《しょうがい》をもっています。『五体不満足《ふまんぞく》』には、一九七六年の彼《かれ》の出生からこの本が刊行《かんこう》されるまでの大学時代までのあいだに、彼《かれ》が経験《けいけん》したさまざまなエピソードが綴《つづ》られています。

乙武《おとたけ》さんは、障害《しょうがい》のない友だちともとてもうまくやっていたようです。野球の話は、そんな友だちとの関係《かんけい》を象徴《しょうちょう》するエピソードのひとつとして出てきます。

乙武《おとたけ》さんの場合《ばあい》、腕《うで》が肩《かた》からほんの少ししかありませんから、ふつうのスタイルでバッティングをすることはできません。脇《わき》の下《した》にバットをはさみ込《こ》むようにして、からだを回転させることでボールを打つんだそうです。

ただし、ヒットを打っても、彼《かれ》は走ることができません。ランナーはチームの誰《だれ》かがかわりを務《つと》めたそうです。乙武《おとたけ》さんがヒットを放つと、そばにひかえていたチームメイトのひとりがファーストへとダッシュする。

ねっ、ちがう部分もあるけれど、似《に》ているでしょ？　べつに、ぼくやぼくの友だちが乙武《おとたけ》さんたちのまねをしたわけじゃありませんよ。だって、ぼくのほうが彼《かれ》よりずっと年長だもの。先に経験《けいけん》しているんです。ぼくたちのほうが先輩《せんぱい》です。って、べつにえらくはないけれど……。

たぶん、似《に》通《かよ》った経験《けいけん》をしたことのある障害者《しょうがいしゃ》は、結構《けっこう》たくさんいるんじゃないかと思います。ぼくや乙武《おとたけ》さんだけじゃありません。

一方では、いじめにあったりして、友だちとの関係《かんけい》ではすごくしんどい思いをしたという声もよく聞きます。ひとくちに「障害者《しょうがいしゃ》」といってもいろいろですから。子どもも時代をつらいものとして過《す》ごした人もいれば、概《おおむ》ね楽しい思い出として記憶《きおく》している人もいる。このへんは健常者《けんじょうしゃ》の場合《ばあい》でもおなじですよね。

ところで、乙武《おとたけ》さんは、「みんなは、『あの子は障害者《しょうがいしゃ》でかわいそうだから、一緒《いっしょ》に遊んであげよう』という気持ちで、こうしたルールを考え出してくれたわけではない。クラスメイトのひとりとして、ケンカをするのもあたりまえ、一緒《いっしょ》に遊ぶのもあたりまえだったのだろう。ボクもボクで、そのことを『あたりまえ』と受け止めていた」ということばで、このエピソードについての文章を締《し》めくくっています。ぼくやぼくの友だちの意識《いしき》も、おそらくはそのようなものだったんじゃないかと思います。

ただ、ぼくは乙武《おとたけ》さんのように、ここでエピソードを閉《と》じることができません。というのも、せっかくみんなが考えてくれたルールではあったんだけれど、実際《じっさい》にやってみると、これがかなりつまらないものだったんですよね。

確《たし》かに、変則《へんそく》ルールの採用《さいよう》によって、ぼくはみんなのやる野球に参加《さんか》することができるようになりました。それ自体はよろこばしいことだし、そのような配慮《はいりょ》をごくあたりまえのこととして行ってくれる友だちをもてたことを、ぼくはいまでもうれしく思っています。

けれど、そういった気持ちとはまったく別《べつ》の次元の話として、遊びのおもしろさ、ゲームに参加《さんか》していることの充実感《じゅうじつかん》を味わうことができたかというと、残念《ざんねん》ながらぼくにはできなかった。友だちの気持ちは本当にうれしかったけれど、おもしろくなかったんですよね。

守備《しゅび》はまるっきり人任《ひとまか》せです。攻撃《こうげき》のほうも、たとえバントがヒットになることがあったとしても、それは相手チームの誰《だれ》かがエラーとか、まずいプレイをしたせいであって、ぼくが活躍《かつやく》した結果《けっか》ではありません。

それだけじゃあない。ぼくには「失敗《しっぱい》」というものもないんです。だって、最初《さいしょ》からボールは「キャッチできなくてあたりまえ」、バッティングも「あたったら儲《もう》けもの」というのが基準《きじゅん》になっているんだもの。他《ほか》の人のように、せっかくのチャンスに三振《さんしん》して、チームメイトから罵声《ばせい》をあびせられるなんてこともない。

「失敗《しっぱい》することなしにゲームに参加《さんか》できるなんてうらやましいくらいだ」と思う人もいるかもしれません。でも、それはちょっとちがいます。

考えてみてください。たとえば、いくらつかまっても鬼《おに》になる必要《ひつよう》のない鬼《おに》ごっことか、敵《てき》のキャラクターにどんなにダメージを与《あた》えられてもゲームオーバーとならないゲームとかに、スリルを感じることができますか？　楽しく遊ぶことができるでしょうか？　ゲームのおもしろさというのは、「失敗《しっぱい》するかもしれない」という緊張感《きんちょうかん》があってはじめて、生まれてくるものなんです。

せっかくのアイディアではあったけれど、変則《へんそく》ルールのもとでは、ぼくにはそのような緊張感《きんちょうかん》は要求《ようきゅう》されませんでした。プラスの面でもマイナスの面でも、ぼくはゲームのなりゆきにほとんど影響《えいきょう》をおよぼさないわけです。極端《きょくたん》な言い方をするなら、いてもいなくても変《か》わらないということになります。

とはいえ、誰《だれ》かがいじわるをして、ぼくをそのようなポジションに追いやったわけではないんですよね。それどころか、みんなは、よかれと思って知恵《ちえ》をしぼってくれたわけです。にもかかわらず、ぼくは「ただそこにいる」というだけの存在《そんざい》となってしまいました。

「共生《きょうせい》」は簡単《かんたん》じゃない

「共生《きょうせい》」ということばを知っているでしょうか。もう少しかみくだいて、「共《とも》に生きる」という言い方をすることもあります。

「共生《きょうせい》」というのは、異《こと》なる民族《みんぞく》や異《こと》なる宗教《しゅうきょう》、異《こと》なる世代、そして障害者《しょうがいしゃ》と健常者《けんじょうしゃ》のように、それぞれに異質《いしつ》な、時に相容《あいい》れることの難《むずか》しい特性《とくせい》をもった人たちが、争《あらそ》い合《あ》うことなく、お互《たが》いを尊重《そんちょう》しながら対等な立場《たちば》でかかわり合い、さまざまな活動に参加《さんか》し生きているさまを表すことばです。

小学生時代にぼくが経験《けいけん》した野球のエピソードは、一見したところ、この「共生《きょうせい》」の具体的《ぐたいてき》な実践《じっせん》であるかのように映《うつ》ることでしょう。

みんなとちがって、ぼくはそのままでは野球に加《くわ》わることができませんでした。なぜなら、野球のルールは、ぼくのような視力《しりょく》の弱い人間が参加《さんか》することを想定してつくられてはいないためです。

「だから加《くわ》われなくても仕方ないね」と言うこともできたでしょう。でも、ぼくとぼくの友だちは、そのようには考えませんでした。「どうしたら一緒《いっしょ》に野球ができるんだろう？」と頭をひねって、みんなとちがったからだをもった者でも参加《さんか》できるよう、新しいルールを考え出しました。

もちろん、当時のぼくたちが、「共生《きょうせい》」なんていうことばを知っていたわけではありません。ただクラスメイトのひとりとして、これまでどおり一緒《いっしょ》に遊ぼうとしただけ、そのための方法《ほうほう》を考えただけだったろうと思います。

でも、ひるがえってみれば、確《たし》かにぼくたちがめざしていたのは「共生《きょうせい》」であったと言うことができるかもしれません。流れている曲のタイトルや演奏《えんそう》しているアーティストの名前を知らなくても、リズムに身をまかせビートをきざむことができるように、「共生《きょうせい》」ということばなど一度として耳にしたことのないまま、ぼくたちは「共生《きょうせい》」という方向をめざしていたのでしょう。

ただし、その方向はめざしたかもしれないけれど、ぼくたちは実際《じっさい》に「共生《きょうせい》」を実現《じつげん》したわけではありません。この点はとても重要《じゅうよう》です。「めざすこと」と「実現《じつげん》すること」とのあいだには大きな隔《へだ》たりがある。「一緒《いっしょ》に野球を楽しみたい」というぼくや友だちの思いとは裏腹《うらはら》に、そこに実現《じつげん》したのは、ただ時間と空間を共有《きょうゆう》しているというだけの、不完全《ふかんぜん》な関係《かんけい》でした。

確《たし》かにぼくたちは、グラウンドに一緒《いっしょ》に居《い》て、野球をしている時間を共有《きょうゆう》していました。けれど、ゲームの進行に果《は》たす役割《やくわり》の大きさや、そこから得《え》られるおもしろさの度合いは、ぼくと友だちとではずいぶんとちがっていたわけです。せっかくの友だちの好意《こうい》ではあったけれど、変則《へんそく》ルールのもとでのプレイは、ぼくにとってあまり楽しいものではなかった。

遊びに限《かぎ》らず、なにかに「参加《さんか》する」ということは、「ただそこにいる」ということと同義《どうぎ》ではありません。

いま目の前で進行している事態《じたい》に、自分がなんらかの影響《えいきょう》をおよぼし、また、およぼされる位置《いち》に立つということ、そこから得《え》られるよろこびや興奮《こうふん》、そして、時には失敗《しっぱい》がもたらす苦しみの感情《かんじょう》を、他《ほか》の参加者《さんかしゃ》とおなじだけの可能性《かのうせい》でもって味わうことができてはじめて、本当の意味で「参加《さんか》した」ということが言えます。

そのような意味での「参加《さんか》」がすべてのメンバーに保障《ほしょう》されていなければ、「共生《きょうせい》」が実現《じつげん》したと言うことはできません。たとえ時と場所をおなじくし、遊びや仕事を一緒《いっしょ》にしていたとしても、よろこびをつかむチャンス、失敗《しっぱい》をおかす危険性《きけんせい》に、あらかじめ大きな格差《かくさ》があったのでは、「共《とも》に生きている」とは言いがたいわけです。

活躍《かつやく》した人、しなかった人、努力《どりょく》した人、しなかった人のあいだで結果《けっか》に差《さ》が出るのは仕方のないことです。けれど、スタートラインから差《さ》がついてるなんていうのは、フェアじゃありませんよね。

ところが、どうもこの「共生《きようせい》」ということばは、そこまで深く考えることなく使われることが多いようです。とにかく、障害者《しようがいしや》と健常者《けんじようしや》が一緒《いつしよ》になにかをやっていたら「共生《きようせい》」といった感じで、安易《あんい》に使われる傾向《けいこう》にある。

野球をめぐって、ぼくとぼくの友だちが経験《けいけん》したエピソードなんか、ほっておいたら、「誰《だれ》に教えられたわけでもないのに、子どもたちが自発的《じはつてき》に共生《きようせい》を実践《じつせん》したすばらしい事例《じれい》」として紹介《しようかい》されちゃいそうです。

お話ししてきたとおり、ぼく自身は変則《へんそく》ルールのもとでの野球は全然《ぜんぜん》おもしろくなかったわけなんですけどね。友だちだって、ぼくのために「まぁ、仕方ないよな」と思ってはくれていただろうけど、「変則《へんそく》ルールなんてまどろっこしいもの抜《ぬ》きで思いっきりプレイしたいなぁ」と考えたこともあったんじゃないかな。

もし、そうだったとしても、ぼくは彼《かれ》らを責《せ》めたりしません。だって、ぼくらが採用《さいよう》した変則《へんそく》ルールにはやはり無理《むり》があったもの。かといって、ぼくと友だちが一緒《いつしよ》に野球を楽しむためのうまい方法《ほうほう》なんて、いまもって思《おも》い浮《う》かばないんだけれど。

野球の例《れい》とちがって、じっくり考えれば、「共生《きょうせい》」を現実《げんじつ》のものにすることができるケースはたくさんあります。

けれど、本当にそのような状況《じょうきょう》をつくり出すためには、ただ障害者《しょうがいしゃ》と健常者《けんじょうしゃ》が一緒《いっしょ》にいてなにかをしているだけでもって、それを「共生《きょうせい》」と呼《よ》ぶような、安易《あんい》なことばの使い方は避《さ》ける必要《ひつよう》があります。ぼくとぼくの友だちが経験《けいけん》したように、一見、「すばらしい共生《きょうせい》の事例《じれい》」と見えても、実際《じっさい》には表面的《ひょうめんてき》なものにすぎないってことはめずらしくありませんから。

そりゃ、「あれは共生《きょうせい》でない」「これも共生《きょうせい》じゃなかった」と報告《ほうこく》するよりは、「あそこに共生《きょうせい》の実践《じっせん》がある」「ここでも共生《きょうせい》が実現《じつげん》している」と語ったほうが、ひとまず元気は出るかもしれません。

たぶん、あまり深く内実を問われることなく、ふわふわとしたイメージだけで「共《きょう》生《せい》」ということばが使われがちであることの背景《はいけい》には、そうした人びとの心理がはたらいているのでしょう。

でも、それって、結局《けっきょく》は現実《げんじつ》から目をそらしているだけですよね。ふわふわとしたイメージだけで「共生《きょうせい》」を語ること、内実を問うことなく安易《あんい》に「共生《きょうせい》」を見いだすことで覆《おお》い隠《かく》されてしまうものが出てくる。

友だちの配慮《はいりょ》をうれしく感じながらも、変則《へんそく》ルールでの野球にぼくは満足《まんぞく》できなかった。そこに「共生《きょうせい》」なんてラベルを貼《は》られたんじゃ、ぼくの不満《ふまん》は行き場を失《うしな》ってしまいます。ぼくにとっても、友だちにとっても満足《まんぞく》のいくような、本当の意味での「共生《きょうせい》」をめざす営《いとな》みは、そこでストップさせられてしまうわけです。

上手《じょうず》に絵を描《か》けるようになるためには、絵の出来について適切《てきせつ》なコメントをくれる人がいなくちゃなりませんよね。たいした出来でもないのに、「うまい!」「天才だ!」といった感想ばかりもらったんじゃ、自分の技量《ぎりょう》をふり返り、弱点を克服《こくふく》することはできません。

それとおなじなんですね。安易《あんい》なイメージに流されるのではなく、たとえがっかりするような否定的《ひていてき》なものであったとしても、現実《げんじつ》を現実《げんじつ》として受け入れること、そのことなしに先にすすむことなんてできないんです。

本当の意味での「共生《きょうせい》」とはなにか、目の前にある現実《げんじつ》はそれにあてはまるのか、あてはまらないとしたらなにが足りないのか、それはなぜか、そうした冷静《れいせい》な思考こそが求《もと》められるわけです。

ということで、次章では、「共生《きょうせい》」について冷静《れいせい》に考える際《さい》に不可欠《ふかけつ》となる、ある視点《してん》についてお話ししてみたいと思います。

第2章 誰《だれ》にとっての「ふつう」なの？

ホームから落っこちた！

ぼくはこれまでに二度、駅のプラットホームから線路に落っこちたことがあります。いずれも、両目ともほとんど見えなくなってからのことです。

初《はじ》めての転落事故《じこ》を経験《けいけん》したのは、三十二歳《さい》のときでした。ある障害者団体《しょうがいしゃだんたい》の集まりに向かう途中《とちゅう》、会場となっていたホールの最寄《もよ》り駅でのことです。

そこは地下鉄の駅で、以前《いぜん》に何度かは利用《りよう》したことがあったけれど、滅多《めった》に使うことのない駅でした。電車から降《お》りたぼくは、改札階《かいさつかい》に昇《のぼ》る階段《かいだん》をめざしてホームを歩いていたんですね。事故《じこ》は、降車位置《こうしゃいち》から数十メートルほどすすんだあたり、階段《かいだん》までもうちょっとというところで起きました。

あとでわかったことなのですが、まっすぐ歩いていたつもりのぼくは、進路をふさぐ柱やベンチをよけているうちに、いつのまにかホームをゆるやかに斜《なな》めの方向に横《おう》断《だん》し、電車を降《お》りた側《がわ》とは反対側《はんたいがわ》の縁《へり》にまで来てしまっていたようです。その先は線路。左右両側《りょうがわ》にレールのあるかたちのホームだったんですね。

最初《さいしょ》、なにがどうなったか、ぼくにはまったくわかりませんでした。急にからだのバランスがくずれたかと思ったら、右の腰骨《こしぼね》のあたりにずしんと重たい衝撃《しょうげき》が走り、気がついたときには線路上にうつぶせに寝《ね》そべる格好《かっこう》となっていました。

いや、そこが線路の上だとわかったのは、数秒経《た》ってからかな。ちょっとのあいだ、ここはどこ? わたしは誰《だれ》? 状態《じょうたい》でした。あっ、「わたしは誰《だれ》?」のほうはよけいですね。さすがに、自分が誰《だれ》かくらいはわかりましたもの。

でも、その時点では、ホームから転落したっていう事実は、認識《にんしき》できていなかったように思います。足を踏《ふ》み外《はず》したという実感すらなかった。少しずつ状況《じょうきょう》がのみ込《こ》めてきて、ようやくなにが起こったかを理解《りかい》できるようになりました。

さっきおぼえた衝撃《しょうげき》は、レールに腰《こし》をぶつけた際《さい》のもののようです。レールって硬《かた》いですね。「ひどいアザになっているだろうなぁ」という感じの痛《いた》みが右腰《みぎこし》にありました。だけど、他《ほか》にはたいしたケガはなさそうに思えました。

実は、あとでレントゲンを撮《と》ってみたら、腰骨《こしぼね》の端《はし》っこに小さなひびが入っていたんですけどね。ギプスは必要《ひつよう》なし、入院もまったく不要《ふよう》っていう程度《ていど》の、ごくごく軽いものではありましたけれど。

ともあれ、落ちた時点では、まだ腰骨《こしぼね》にひびが入っているなんてことはわかりませんでした。手も足も問題なく動きます。起き上がることもできます。ということでひと安心。

記憶《きおく》によると、そこでまず、ぼくがやったのは、散《ち》らばった荷物を拾い集めることでした。もっていたはずのバッグやビニール袋《ぶくろ》、白杖《はくじょう》が手元になかったんです。足を踏《ふ》み外《はず》した瞬間《しゅんかん》か、地面にたたきつけられた際《さい》にかはわかりませんが、放り出してしまったんでしょうね。

幸運なことに、そのへんを適当《てきとう》に探《さぐ》っただけで、荷物はどれもすぐに見つかりました。

だけど、あとから考えてみると、荷物を拾うのなんて後まわしにすべきだったんですよね。ホームに上がることが先決のはず。電車が入ってきたら大変《たいへん》ですもの。きっと、まだ気が動転していたんでしょう。そうした判断《はんだん》はできませんでした。

荷物を集め終えて、ようやくぼくはホームに上がる態勢《たいせい》に入りました。幸い、電車が来る気配はありません。そのころには、誰《だれ》かが連絡《れんらく》してくれたんでしょう、駅員さんも到着《とうちゃく》して、上がるのを手伝《てつだ》ってくれました。といっても、腰《こし》の横側《よこがわ》が痛《いた》いだけで、手足は自由に動きましたから、荷物だけ渡《わた》して、自力ではい上がったんですけど。

地下鉄のホームって、結構《けっこう》高さがあるんですよ。落ちてみてはじめてわかりました。背《せ》が低《ひく》かったり、体力がなかったりしたら、自力で上がるのは大変《たいへん》かもしれません。

ユーモアの活《かつ》用《よう》法《ほう》

そういえば前に、転落経験《けいけん》のある友人連中《れんちゅう》と、どの路線のホームが一番上がるのが

大変《たいへん》か？　という話をしたことがあります。ホームから落っこちた経験《けいけん》のある視覚障《しかくしょう》害者《がいしゃ》って、たくさんいますからね。

「あの線のホームは結構低《けっこうひく》い。列車も一時間に一本しか来ないからわりと安心！」と誰《だれ》かが言うと、「新幹線《しんかんせん》のホームは高くて大変《たいへん》だった。おれ、腹《はら》出てるし」と別《べつ》の誰《だれ》かがまた言う。経験《けいけん》自体は事実なんだけれど、なぜかみんなそのことを冗談《じょうだん》にしちゃうんです。

よく考えてみると、転落事故《じこ》を冗談《じょうだん》にするなんて不謹慎《ふきんしん》ですよね。ぼくたちは、せいぜい軽いケガをした程度《ていど》ですんだけれど、落ちた直後に電車が入ってきたために、はねられて亡《な》くなったり、打ち所がわるくて、大ケガを負う人もいたりするわけですから。

だけど、ぼくたちにしても、線路に落ちたっていう経験《けいけん》は、かなりショックなものだったわけです。なんとなく気恥《きは》ずかしいのか、みんなはっきりとは言わないけれど、こわかったはずです。少なくとも、ぼくはこわかった。

しかも、学校に行ったり、職場《しょくば》に通ったりするためには、たとえ過去《かこ》にこわい経験《けいけん》をしたとしても、引《ひ》き続《つづ》き駅を利用《りよう》せざるを得《え》ません。ぼくの場合《ばあい》も、事故《じこ》のあとしばらくは、ひとりで電車に乗るのにちょっと勇気《ゆうき》が必要《ひつよう》でした。

当時、ぼくは大学院に通っていたんですけど、こわいからといって、休むってわけにもいきませんからね。大人なんだし、そんなのかっこわるい、って思いましたし。冷静《れいせい》になって考えたら、かっこわるくなんて全然《ぜんぜん》ないんですけど。でもそのときは、そんなふうに感じられた。だから、びびりながら電車に乗っていました。

とはいえ、よくもわるくも、ぼくの場合《ばあい》、「喉《のど》もと過《す》ぎれば」という感じで、そういった状況《じょうきょう》は長くは続《つづ》きませんでした。少しずつではあったけれど、ホームから落ちる恐怖感《きょうふかん》は徐々《じょじょ》に薄《うす》れていきました。

けれど、だからといって、恐《おそ》れがまったくなくなったわけじゃないんですよね。前回は運よく電車は来なかったけれど、今度はどうかわかりません。死ぬかもしれないわけです。

それでなくても、線路に落ちるというのは心臓《しんぞう》にすごくわるい。「寿命《じゅみょう》がちぢむ思い」という表現《ひょうげん》がありますが、ほんと、そんな感じです。たぶん、一回落ちるたびに、三カ月と七日半くらいはちぢんでるんじゃないかと思います。

ただし、「こわい」という感覚《かんかく》が持続《じぞく》することには、プラスの効果《こうか》もなくはないんですよね。「こわい」と感じることで、以前《いぜん》より慎重《しんちょう》になるという面もありますから。けど、それが適度《てきど》な緊張感《きんちょうかん》を呼《よ》びさます以上《いじょう》のものであるとしたら、やはり困《こま》りものです。緊張《きんちょう》しすぎると、本来だったらできるはずの適切《てきせつ》な判断《はんだん》が下せなくなっちゃったり、あたりまえの動作ができなくなってしまい、逆《ぎゃく》に事故《じこ》を引き起こす可能性《かのうせい》が高くなったりしますから。

さっき言ったような冗談《じょうだん》って、そうした過剰《かじょう》な緊張感《きんちょうかん》や恐怖心《きょうふしん》を払拭《ふっしょく》したり、嫌《いや》な経験《けいけん》についてちょっと距離《きょり》をおいてながめてみるのに役立つことがあるんですよね。笑《わら》いが、こわかった出来事から自分をいったん引きはがして、その事柄《ことがら》を客観視《きゃっかんし》するきっかけを与《あた》えてくれるのかもしれません。つらかったり、悲しかったりした経験《けいけん》について、あえて笑《わら》いとばすっていうこと、あなたもしたことありません？

といっても、この手の冗談《じょうだん》の感性《かんせい》って、合う合わないがあるので、誰《だれ》にとっても有効《ゆうこう》だとは思いませんけどね。それに、本人たちにとっては、まさにリアルな意味で「からだをはってのユーモア」なんだけれども、第三者が聞いたら、ブラックにすぎて冗談《じょうだん》にならない、ということもあるでしょう。

繰《く》り返《かえ》されるこわい経験《けいけん》

話を戻《もど》しましょう。
実のところ、ぼくは実際事故《じっさいじこ》にあうまで、まさか自分が線路に落ちてしまうなんて、想像《そうぞう》もしていませんでした。先にも記したとおり、ぼくの周囲《しゅうい》には転落事故《じこ》の経験者《けいけんしゃ》が何人もいます。テレビや新聞でも、視覚障害者《しかくしょうがいしゃ》がホームから転落したというニュースは時折報道《ときおりほうどう》されています。

にもかかわらず、「わが身にいつ起こってもおかしくないこと」とは認識《にんしき》できていなかったんだと思います。同じ視覚障害者《しかくしょうがいしゃ》の事故《じこ》にやるせないものを感じてはいたし、「他人事」というほど無関心《むかんしん》であったわけではないけれど、どこかで、「自分は大丈夫《だいじょうぶ》だろう」と高をくくっていたんでしょうね。はっきりそのように意識《いしき》していたわけではないけれど。

ある調査《ちょうさ》によると、全盲者《ぜんもうしゃ》、つまり、目がまったく見えない、ほとんど見えない人たちのうち、ほぼ四人に一人は、ホームからの転落事故《じこ》を経験《けいけん》しているそうです（田《た》内雅規《うちまさき》他《ほか》「視覚障害者《しかくしょうがいしゃ》による鉄道単独利用《たんどくりよう》の困難《こんなん》な実態《じったい》」、日本障害者《しょうがいしゃ》リハビリテーション協会《きょうかい》発行「リハビリテーション研究」、一九九二年一月刊《かん》）。この調査対象者《ちょうさたいしょうしゃ》のなかには、調査《ちょうさ》当時、ひとりではもう鉄道を利用《りよう》していない人も含《ふく》まれているので、実際《じっさい》に日常的《にちじょうてき》に単独《たんどく》で鉄道を利用《りよう》している人のうち、ホームから落ちた割合《わりあい》はこれよりずっと大きなものになると思います。事実、別《べつ》の調査《ちょうさ》では、全盲者《ぜんもうしゃ》の三人に二人が線路に落ちた経験《けいけん》があると回答していますフ（ノーマプラン社による「一人歩きする視《し》

覚障害者《かくしょうがいしゃ》の事故《じこ》実態調査《じったいちょうさ》」、一九九四年)。

一般《いっぱん》に、どのくらいの割合《わりあい》で転落事故《じこ》に遭遇《そうぐう》しているかについての細かな話は置《お》きますが、相当数の視覚障害者《しかくしょうがいしゃ》が線路に落っこちた経験《けいけん》をもっているのはまちがいなさそうです。

全盲《ぜんもう》の人だけじゃないんですよ。かつてのぼくがそうだったように、視覚障害者《しかくしょうがいしゃ》のなかには、まったく見えないってわけではないけれど、メガネやコンタクトを使ってもあまり視力《しりょく》が上がらない、弱視《じゃくし》と呼《よ》ばれる人たちもいます。弱視《じゃくし》の人たちのなかにも、転落事故《じこ》の経験者《けいけんしゃ》がたくさんいます。

「ある程度《ていど》見えているんだから大丈夫《だいじょうぶ》だろう」と思われるかもしれませんが、そうじゃないんですね。車両の連結《れんけつ》部分をドアと見まちがえてホームとの隙間《すきま》に落っこちちゃうなど、勘違《かんちが》いによる事故《じこ》なんかもあったりして、「見えてはいる。けれど、完全《かんぜん》にではない」ゆえの難《むずか》しさもあるんです。

さらに言うと、健常者《けんじょうしゃ》だってホームから落ちることはありますけどね。ただ、視覚《しかく》障害者《しょうがいしゃ》のような高確率《こうかくりつ》ではありません。やはり、視覚障害者《しかくしょうがいしゃ》の転落率《てんらくりつ》は異常《いじょう》と言えるでしょう。

自分の注意が足りないせい？

ところで、ぼくをはじめ、どうして視覚障害者《しかくしょうがいしゃ》はこんなによくホームから転落してしまうのでしょう。注意力の足りない人が多いんでしょうか。

最初《さいしょ》の事故《じこ》の直後は、ぼくも自分の注意不足《ぶそく》を責《せ》めました。「なんでもっと慎重《しんちょう》に歩を運ばなかったんだろう？」と。

だけど、よく考えてみると、これって一面的《いちめんてき》な見方なんですよね。

確《たし》かに、もっと注意をしていれば、ぼくは線路に落ちたりなんかせずにすんだのかもしれません。だから、一度事故《じこ》を経験《けいけん》して以降《いこう》は、前にもまして、ホームなど、危《き》険度《けんど》の高そうな場所では、通常以上《つうじょういじょう》に身をひきしめてかかるようにしています。

残念《ざんねん》ながら、それでも、三年後にもう一度落ちてしまったんですけどね。幸い、その後、今日までの七年間は落ちていませんが。

いずれにせよ、ホームから転げ落ちたりするのは、ぼくのような一部のおっちょこちょいだけではないわけです。既《すで》に述《の》べたように、かなりの数の視覚障害者《しかくしょうがいしゃ》が転落事《じ》故《こ》の経験《けいけん》を語っています。

痛《いた》い目にあったり、こわい思いをしたり、ましてや死んでしまったりするのはまっぴらですから、ぼくも、たぶん他《ほか》の視覚障害《しかくしょうがい》をもった人たちも、必要《ひつよう》な注意をはらうことをおしんだりはしないことでしょう。だけど、それだけでは防《ふせ》ぎようのない問題が、そこにはあるんじゃないかということです。

ここでちょっと、想像《そうぞう》してみてください。全利用客《りようきゃく》の四分の一、場合《ばあい》によっては三分の二もが、これまでに事故《じこ》にあっているような交通機関《きかん》があったとしたらどうでしょう。たとえば、乗客の四人に一人が窓《まど》からふり落とされたことのあるバスとか、利《り》用者《ようしゃ》のうち、三人に二人が急な加速《かそく》に耐《た》えきれず、失神《しっしん》したことがある旅客機《りょかくき》とか。

そんなバス路線なり、航空会社《こうくう》があったら大変《たいへん》ですよね。大問題になる。そのような場合《ばあい》、その車両や機種《きしゅ》、あるいは運転や操縦《そうじゅう》の仕方に重大な問題があると見るのが妥当《だとう》でしょう。そのバスや旅客機《りょかくき》を運行している会社の責任《せきにん》が当然《とうぜん》問われます。

まちがっても乗客は、「ふり落とされたのはおれが気をつけていなかったせいだ」とか、「失神《しっしん》しないようにもっとからだを鍛《きた》えてから乗るべきだった」なんてことを思ったりはしない。もし、そこまでの覚悟《かくご》や構《かま》えがないと乗れないのだとしたら、誰《だれ》もが安全に利用《りよう》できることが当然《とうぜん》であるはずの公共交通機関《こうきょうきかん》としては完全《かんぜん》に失格《しっかく》です。

視覚障害者《しかくしょうがいしゃ》の転落事故《じこ》も、これとおんなじなんですね。高い割合《わりあい》で事故《じこ》が起こっているという事実は、個人《こじん》の責任《せきにん》に帰《き》すことのできない問題がそこにあることを示唆《しさ》しています。ぼくたちがどんなに注意をはらったとしても、個人《こじん》の努力《どりょく》では回避《かいひ》しようのないリスクが、プラットホームでは待ちうけているということです。

バリアフリーという考え方

もちろん、こうした状況《じょうきょう》が問題にならないわけはありません。高いリスクを負わされる羽目になっている視覚障害者《しかくしょうがいしゃ》自身が声を上げるとともに、対応策《たいおうさく》の必要性《ひつようせい》は、鉄道会社や自治体《じちたい》・国などにも徐々《じょじょ》に理解《りかい》されるようになりました。

その結果《けっか》として普及《ふきゅう》したのが、誘導用《ゆうどうよう》のブロックです。ホームの端《はし》や階段《かいだん》の手前などに敷《し》かれている、黄色くて表面に凹凸《おうとつ》のあるやつですね。

ブロックには二種類《しゅるい》あります。凸部《とつぶ》が点状《てんじょう》になっているブロックは、その先に注意を要《よう》するものがあることを表しています。一方、凸部《とつぶ》が線状《せんじょう》になっているブロックは、進路を知らせるものです。

どちらも、「点字ブロック」という俗称《ぞくしょう》で呼《よ》ばれることもあります。ぼくもふだんはそう呼《よ》んでいます。全盲者《ぜんもうしゃ》は、足裏《あしうら》や白杖《はくじょう》の先でその凹凸《おうとつ》を確認《かくにん》しながら歩くのですが、目立つ色にすることで、弱視者《じゃくししゃ》にとっても目印《めじるし》として役立っています。

ただ、残念《ざんねん》なことに、このブロック、ホームからの転落事故《じこ》を防止《ぼうし》するための決定打ではないんですね。ブロックがない状態《じょうたい》とくらべれば、はるかに危険度《きけんど》は下がるんだけれど、この誘導用《ゆうどうよう》ブロックを設置《せっち》したからといって、目の見える人たちに近い安全度が確保《かくほ》されるというわけではない。

というのも、先ほどあげた二つの調査《ちょうさ》による数字はどちらも、ＪＲや大手私鉄《してつ》、地下鉄などの駅のほとんどに、ブロックが敷《し》かれるようになって以降《いこう》のものなんですよ。

視覚障害者用《しかくしょうがいしゃよう》の誘導《ゆうどう》ブロックは、一九七〇年代に設置《せっち》が始まり、八〇年代に当時の国鉄（現《げん》ＪＲ各社《かくしゃ》）が全駅への敷設《ふせつ》を決定したのをはじめ、全国的《ぜんこくてき》に普及《ふきゅう》するようになりました。九〇年代には、一部の中小私鉄《してつ》を除《のぞ》いて、ブロックがない駅のほうがめずらしくなっています。紹介《しょうかい》した調査結果《ちょうさけっか》が報告《ほうこく》されたのは、それぞれ一九九二年と、九四年です。

つまり、ブロックがあってこの数字だということです。少ないほうの値《あたい》を採用《さいよう》しても、四人に一人がホームから落ちている。ぼくの周《まわ》りだと、半分以上《いじょう》落っこちてますけどね。

最近《さいきん》では、ホームの端《はし》に柵《さく》を設《もう》けたり、ホームドアを設置《せっち》している駅もあります。ホームドアというのは、電車の扉《とびら》と連動《れんどう》して開閉《かいへい》するドアをホーム自体に設《もう》け、それ以外《いがい》はすべて仕切りで囲《かこ》ってしまうという設計《せっけい》のことです。設置費用《せっちひよう》の問題のほか、技術面《ぎじゅつめん》での困難《こんなん》もあって、いまのところ、ごく一部の路線・駅にしかありませんが。ともあれ、いろいろ試《こころ》みられてはいるわけです。

耳にしたことがあるかと思いますが、最近《さいきん》では、こうした取り組みを指すことばとして、「バリアフリー」という語がよく用いられます。

バリアとは、人びとが移動《いどう》したり、ものを使ったりすることを妨《さまた》げる障壁《しょうへき》のことです。転落事故《じこ》の頻発《ひんぱつ》するホームには、安心して利用《りよう》できないという意味で、視覚障害《しかくしょうがい》者《しゃ》の移動《いどう》を妨《さまた》げるバリアがあると言うことができます。

車いすの人たちにとっては、階段《かいだん》や段差《だんさ》がバリアとなります。おそらく、高齢者《こうれいしゃ》やベビーカーを押《お》している人たちのなかにも、階段《かいだん》をバリアと感じる人がいることでしょう。

バリアフリーというのは、そのような障壁《しょうへき》を取《と》り除《のぞ》き、誰《だれ》もが自由かつ安全に移動《いどう》したり、利用《りよう》したりできる環境《かんきょう》を整えましょう、という考え方のことです。駅以外《いがい》にも、あらゆる建築物《けんちくぶつ》や車両、商品やサービスが対象《たいしょう》となります。

「なぜ」「どうして」の先にあること

抜本的《ばっぽんてき》な改善《かいぜん》が見られたわけではないけれど、転落事故《じこ》を防《ふせ》ぐための手だては、このように、それなりに講《こう》じられてきています。バリアフリーがそこここで言われるようになって以降《いこう》、そのピッチも上がってきたようです。

けれど、よく考えてみると、根本のところで解《げ》せないんですよね。だって、むかしから視覚障害者《しかくしょうがいしゃ》はいたわけでしょ？　いまほどの頻度《ひんど》ではなかったかもしれないけれ

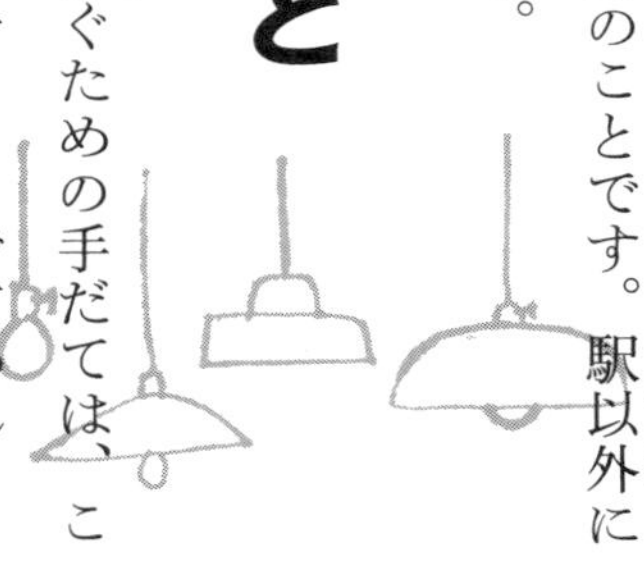

ど、鉄道だって利用《りよう》していたはずです。

だったらどうして、最初《さいしょ》からホームからの転落を防止《ぼうし》するための方策《ほうさく》が講《こう》じられなかったのでしょう。先に記したとおり、誘導用《ゆうどうよう》ブロックの敷設《ふせつ》が始まるのは一九七〇年代に入ってからのことです。本格化《ほんかくか》するのは八〇年代。これ以前《いぜん》には、目立った対《たい》応《おう》は見あたりません。

この対応《たいおう》って、明治《めいじ》初期《しょき》にまでさかのぼることのできる日本の鉄道の歴史《れきし》とくらべると、あまりに遅《おそ》すぎはしないでしょうか。なぜ、そのようになってしまったのでしょう。

以前《いぜん》は、視覚障害者《しかくしょうがいしゃ》の移動《いどう》の安全をはかるための技術《ぎじゅつ》や方法《ほうほう》がなかったためでしょうか。誘導用《ゆうどうよう》ブロックが考案《こうあん》されたのは一九六五年とのことですから、これで正解《せいかい》であるような気もします。

けれど、ホームからの転落を防《ふせ》ぐための方法《ほうほう》は、ブロックの敷設《ふせつ》だけではありませんよね。もし本気で転落防止《ぼうし》が考えられていたとしたならば、いろいろと試《ため》されていたはずです。でも、そうした形跡《けいせき》はうかがえません。

それに、仮《かり》に本当にそのような取り組みが以前《いぜん》からあったのだとしたら、誘導用《ゆうどうよう》ブロック、ないしはそれに類似《るいじ》したものの開発も、もっと早くなっていた可能性《かのうせい》だってあります。

こんなふうに書くと誤解《ごかい》をされてしまいそうですが、ぼくはそのことについて文句《もんく》を言いたいわけではありません。残念《ざんねん》なことではあるけれど、いまさら言っても、仕方のないことですからね。

そうではなくて、こうした事実は、別《べつ》のなにかを示唆《しさ》しているんじゃないかというふうに、ぼくは考えるんです。

どうして視覚障害者《しかくしょうがいしゃ》への安全対策《たいさく》が遅《おく》れたのか？　という問いは、少し角度を変《か》えてみると、どうして鉄道会社は、視覚障害者《しかくしょうがいしゃ》の利用《りよう》を考慮《こうりょ》せずに、駅の施設《しせつ》をつくったのだろう？　という問いとほぼイコールであることがわかります。視覚障害《しかくしょうがい》のある人たちが利用《りよう》することを視野《しや》に入れていたなら、安全対策《たいさく》についても、なんらかの手だてを講《こう》じていたはずですから。

さらに、どうして視覚障害者《しかくしょうがいしゃ》の利用《りよう》を考慮《こうりょ》せずに、駅の施設《しせつ》をつくったのだろう？という問いは、裏返《うらがえ》すなら、どうして障害《しょうがい》のない人たちの利用《りよう》だけを想定して、駅の施設《しせつ》をつくったのだろう？　という問いでもあるわけです。


ここで、もう一度想像力《そうぞうりょく》をはたらかせてみましょう。あなたはいま、大きな川にかかる橋の、ちょうど真ん中あたりに立っています。左右どちらの手でもかまわないのですが、あなたは、前方を探《さぐ》るための杖《つえ》一本を渡《わた》されて、目隠《めかく》しをした状態《じょうたい》で橋の終点まで行かなくてはなりません。しかもです。この橋、どういうわけか、欄干《らんかん》がないんですよねぇ……。

ホーム上を移動《いどう》する際《さい》の全盲者《ぜんもうしゃ》は、こういう状況《じょうきょう》に置《お》かれているわけです。弱視《じゃくし》の人の場合《ばあい》は、まったく度の合っていないメガネを無理矢理《むりやり》かけさせられて、歩かなきゃならない、ってところでしょうか。

まぁ、実際《じっさい》には、多くの視覚障害者《しかくしょうがいしゃ》は、耳や杖《つえ》の先から入ってくる情報《じょうほう》や、不十分《ふじゅうぶん》にしか入ってこない目からの情報《じょうほう》を、うまく利用《りよう》する方法《ほうほう》を知っていますからね。目の見える人が、急に目隠《めかく》しをされた場合《ばあい》と、まったくおなじというわけではないんですけれど。

そうはいっても、基本的《きほんてき》に置《お》かれている状況《じょうきょう》は似《に》たようなものです。ホームの下には、川が流れているかわりに線路が走っています。落っこちた場合《ばあい》の結果《けっか》もおんなじです。どちらも、大事に至《いた》らずにすむことはあるでしょう。だけど、死んでしまうことだってめずらしくない。

でも、人って、なかなかそんなふうには考えられないんでしょうね。多くの人は目が見えています。目が見えていれば、縁《へり》を踏《ふ》み外《はず》して、線路に落っこちないようにすることはそう難《むずか》しくありません。酔《よ》っぱらったせいで判断力《はんだんりょく》が鈍《にぶ》っていたり、体調がすごくわるかったりしたら話はちがってくるでしょうけど。

だけど、そういったことですら忘《わす》れて、目が見えていて、体調にも特《とく》に問題のない、ふだんの自分を念頭《ねんとう》において、ものを考えてしまうんですよね。その結果《けっか》、できあがったのが、いまのホームのかたちなんじゃないか。

あとから気づいて、いろいろ対策《たいさく》を考えてくれるのはいいんだけれど、あんたら、いまごろ気づいたのか!? って言いたい気分です。あんたらもいっぺん、目隠《めかく》しして、欄干《らんかん》のない橋を渡《わた》ってみるか、コラ!

「ふつう」って、なに?

上下階への昇降手段《しょうこうしゅだん》が階段《かいだん》しかない駅や建物《たてもの》がたくさんあるのも、これとおなじ理由によるんでしょうね。ぼくもそうだけれど、足に障害《しょうがい》のない人間は、ついつい階段《かいだん》の昇《のぼ》り降《お》りに不自由《ふじゆう》をおぼえる人たちがいることを忘《わす》れてしまいがちです。
視覚障害者用《しかくしょうがいしゃよう》の誘導《ゆうどう》ブロックと同様、最近《さいきん》では、駅や公共性《こうきょうせい》の高い建物《たてもの》へのエレベーターの設置《せっち》がすすんできました。むしろ、バリアフリーといえば、こちらをまず思《おも》

い浮《う》かべる人のほうが多いかもしれません。

エレベーターの必要性《ひつようせい》は、たいていの場合《ばあい》、つぎのような論理《ろんり》で語られます。人はふつう、階段《かいだん》の昇《のぼ》り降《お》りに不自由《ふじゆう》のないからだをもっている。ただし、なかにはそれができない人たちがいる。手術《しゅじゅつ》をしたり、訓練《くんれん》をしたりすることで、その人が自分の足で階段《かいだん》を昇《のぼ》り降《お》りできるようになればそれに越《こ》したことはない。けれど、残念《ざんねん》ながら現在《げんざい》の医療技術《いりょうぎじゅつ》では、すべての人の足を治《なお》すことはできない。だからといって、ほったらかしにしておくのはまずいだろう。だったら、エレベーターをつけることで対応《たいおう》しよう。

この考え方はわかりやすいですよね。視覚障害者《しかくしょうがいしゃ》がホームから転落することを防止《ぼうし》するための手段《しゅだん》についても、おなじような発想から語られるのが一般的《いっぱんてき》かと思います。本当は、目を見えるようにするのが一番なんだけど、それが無理《むり》だから、かわりに誘導《ゆうどう》ブロックとかホームドアを設置《せっち》するんだと。

要《よう》するに、足が動けばいい、目が見えるようになればそれがベストの解決策《かいけつさく》だということですね。足が不自由《ふじゆう》だからこそ、目に障害《しょうがい》があるからこそ問題が生じるのだ、言《い》い換《か》えるなら、ふつうでないからだにこそ原因《げんいん》があるんだ、ということです。

一見、理にかなった見方のようだし、実際《じっさい》、多くの人はそんなふうに考えていると思うんですけど、これって本当なのでしょうか。ぼくには、どうもちがうように思えるんですよね。

たびたびですが、またまた想像《そうぞう》してみてください。もし、すべての住人が、背中《せなか》にペガサスのような翼《つばさ》をもっている社会があったとしたらどうでしょう。

たぶん、この社会には階段《かいだん》なんてものはないと思うんですよ。だって、みんな羽をもっているわけだから、バタバタッとひと飛《と》びすれば、好《す》きな階に行くことができる。えっちらおっちらと一段《だん》ずつ歩を運んだりという面倒《めんどう》なことをする必然性《ひつぜんせい》がありません。窓《まど》を大きく開いておくなり、床《ゆか》から天井《てんじょう》に抜《ぬ》けて翼《つばさ》を広げた人間が通れるだけの穴《あな》を空けておけばいいだけです。

だけど、もしこの社会にあなたが投《な》げ込《こ》まれたらどうなるでしょう。あなたの背中《せなか》には羽はありませんよね？　ぼくにはありません。あったらこわい……。

翼《つばさ》をもたないあなたが、この社会にくらすのはきっと大変《たいへん》でしょうね。なにせ、上下の階への移動手段《いどうしゅだん》がないんですから。鳥人間たちに手伝《てつだ》ってもらわない限《かぎ》り、あなたは目的《もくてき》の階へ移動《いどう》することができません。つまり、いま現在《げんざい》の社会では「健常者《けんじょうしゃ》」であったとしても、鳥人間たちの社会に引《ひ》っ越《こ》したとたん、あなたは「障害者《しょうがいしゃ》」となるわけです。

このように、なにが「ふつう」であり、誰《だれ》が「健常者《けんじょうしゃ》」であるかは、実は絶対的《ぜったいてき》なものではなく、相対的《そうたいてき》に決まるものなんですね。ぼくたちのくらす社会では、階段《かいだん》はあることが「ふつう」であり、階段《かいだん》を昇《のぼ》り降《お》りできるからだこそが「ふつう」のからだということになっているけれど、鳥人間たちの社会では、階段《かいだん》はないことが「ふつう」であり、階段《かいだん》などなくても上下階への移動《いどう》に支障《ししょう》のないからだこそが「ふつう」のからだであるとされるわけです。

これを、車いすの人と自分の足で階段《かいだん》の昇《のぼ》り降《お》りができる人との関係《かんけい》に置《お》き換《か》えてみるとどうなるでしょう。

車いすの人が上下階への移動《いどう》に困難《こんなん》をおぼえるのは、現在《げんざい》の社会では、自分の足で階段《かいだん》を昇《のぼ》り降《お》りできることが「ふつう」であると前提《ぜんてい》され、そのために、階段《かいだん》があることは「ふつう」であっても、エレベーターやスロープは、特《とく》に設置《せっち》されていなくても「ふつう」と考えられているためです。

だけど、もし今後、バリアフリーの考え方がもっともっと社会に浸透《しんとう》して、階段《かいだん》だけでなく、すべての建造物《けんぞうぶつ》にはエレベーターやスロープがあるのが「ふつう」という状況《じょうきょう》になったとしたら、事態《じたい》はずいぶんと変《か》わりますよね。上下階への移動《いどう》に関《かん》する限《かぎ》り、車いすに乗っているということはなんら問題ではなくなる。

階上や階下への移動《いどう》に階段《かいだん》も利用《りよう》するか、エレベーターやスロープだけを利用《りよう》するかのちがいがあるだけで、健常者《けんじょうしゃ》と車いす利用者《りようしゃ》との関係《かんけい》は、一方が「ふつう」でもう一方は「ふつうでない」といったような非対称《ひたいしょう》なものではなくなるはずです。

もしかすると、実際《じっさい》には逆《ぎゃく》で、どちらかが「ふつう」でどちらかが「ふつうでない」といった見方がなくなったとき、はじめてバリアフリーが社会のあらゆる領域《りょういき》に浸透《しんとう》するのかもしれません。まぁ、このへんは、鶏《にわとり》が先か卵《たまご》が先かといった議論《ぎろん》となじく、どちらが先ということではなく、相互《そうご》に影響《えいきょう》し合《あ》いながら、すすんでいくものなんだろうと思いますが。

ともあれ、障害者《しょうがいしゃ》の経験《けいけん》する困難《こんなん》の原因《げんいん》は、通常《つうじょう》考えられているように、手足が動かなかったり、目が見えなかったりすることからもたらされるわけではないということ、いま信《しん》じられている「ふつう」は必《かなら》ずしも絶対的《ぜったいてき》なものではなく、それとはまったく異《こと》なった「ふつう」があり得《え》るということ、そのもとでは、いま「障害者《しょうがいしゃ》」とされている人間が障害者《しょうがいしゃ》でなくなったり、逆《ぎゃく》に「健常者《けんじょうしゃ》」とされている人間が「障害《しょうがい》者《しゃ》」になってしまうという可能性《かのうせい》もあるんだということを、ここでは押《お》さえておいてください。

第3章

どっちつかずである生きにくさ

障害《しょうがい》の重さ、軽さ

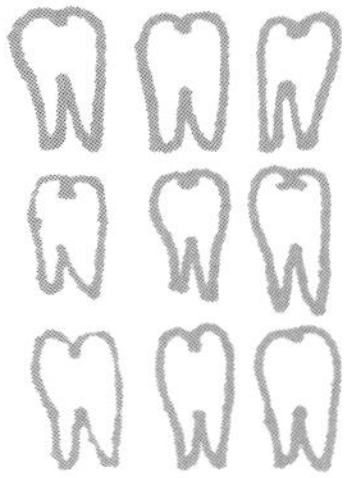

障害者《しょうがいしゃ》が向き合っている困難《こんなん》や大変《たいへん》さは、目が見えなかったり、手足が動かなかったりという、からだのつくりの問題から直接《ちょくせつ》にもたらされるものじゃないんだ、ということを前の章ではお話ししました。

けれども、こんな疑問《ぎもん》が湧《わ》いてくるかもしれません。

もし、障害者《しょうがいしゃ》が経験《けいけん》するしんどさや厄介事《やっかいごと》が、自身のからだのつくりの問題からではなく、社会のしくみによってもたらされるものであるのなら、重いとか軽いとかいった障害《しょうがい》の程度《ていど》と、障害者《しょうがいしゃ》がおぼえる大変《たいへん》さとは比例《ひれい》しないはずではないか。

だけど、実際《じっさい》には、車いすの人たちとくらべれば、松葉杖《まつばづえ》をついたり、足を引きずったりしながらでも、自力で歩ける人たちのほうが苦労《くろう》が小さいように思える。弱視《じゃくし》の人も大変《たいへん》かとは思うが、全盲《ぜんもう》の人はもっともっと大変《たいへん》なんじゃないか。どうも矛《む》盾《じゅん》しているんじゃないか。

そうかもしれませんね。障害者《しょうがいしゃ》が感じるしんどさや、経験《けいけん》する困難《こんなん》の原因《げんいん》が、目が見えないことや、手足が動かないことそのものにあるのでないとしたら、障害《しょうがい》が重いほうが苦労《くろう》もより大きいだろうと思えてしまうという現象《げんしょう》は不可解《ふかかい》です。いったい、どういうことなのでしょうか。

障害者《しょうがいしゃ》の福祉《ふくし》や医療《いりょう》、障害児《しょうがいじ》教育などに携《たずさ》わる人たちのあいだでは、重い障害《しょうがい》をもった人たちのことを「重度障害者《しょうがいしゃ》」と呼《よ》んでいます。反対に、障害《しょうがい》の程度《ていど》が軽い人たちのことは「軽度障害者《しょうがいしゃ》」と言います。福祉《ふくし》などの仕事をしている人たちだけでなく、障害者《しょうがいしゃ》本人もこの呼《よ》び方《かた》を使います。

重度と軽度の境目《さかいめ》がどこであるかは必《かなら》ずしも明確《めいかく》ではありません。足に障害《しょうがい》のある人の場合《ばあい》なら、車いすに乗っていれば重度、杖《つえ》を使ってでも自分の足で歩いていれば軽度、といった理解《りかい》が一般的《いっぱんてき》でしょう。視覚障害《しかくしょうがい》の場合《ばあい》なら、全盲《ぜんもう》ないしはそれに近い人が重度、子どものころのぼくのように、白い杖《つえ》なしでも歩ける者は軽度といった感じでしょうか。

そして、世間では、障害《しょうがい》が軽度である人たちの困難《こんなん》は、重度障害者《しょうがいしゃ》とくらべて小さいというふうに理解《りかい》されています。重度と軽度というのは、単《たん》に目の見え方や手足の動く程度《ていど》を表現《ひょうげん》するだけでなく、しんどさの程度《ていど》、厄介事《やっかいごと》に出くわす度合いをもあらわすものと考えられているわけです。

だけど、それは本当なのでしょうか。もし、そうした理解《りかい》自体がまちがっているとしたらどうでしょう。

知られていないことのやっかいさ

これまでの章でお話ししてきたとおり、ぼくは今日までの人生のうち、およそ半分を弱視者《じゃくししゃ》として過《す》ごし、残《のこ》り半分を全盲者《ぜんもうしゃ》として過《す》ごしてきました。つまり、軽度障害者《しょうがいしゃ》と重度障害者《しょうがいしゃ》の両方を経験《けいけん》してきたわけですね。

そんななかで、「重度障害者《しょうがいしゃ》のほうが軽度の人より大変《たいへん》だ」といったようなことは、必《かなら》ずしも言えないんじゃないか、と思わされるような体験《たいけん》をいくつもしてきました。たとえば、まだ白い杖《つえ》がなくても歩けたころ、何度かこういう経験《けいけん》をしました。電車に乗るために、駅に行きます。そのころはまだ、そこそこ視力《しりょく》がありましたから、歩くのにはほとんど不自由《ふじゆう》をおぼえません。柱にぶつかったり、通行人に接触《せっしょく》したりすることもなく、券売機《けんばいき》の前までたどり着けました。

ところが、つぎが問題なんですよね。駅の料金表《りょうきんひょう》って高いところにあることが多いじゃないですか。あれが弱視《じゃくし》のぼくには見えなかったんです。券売機《けんばいき》にあるボタンの文字のほうは、目を近づければなんとか読めたけれど、高いところに書かれた文字については、「目を近づける」っていうことができませんからね。

ひとくちに弱視《じゃくし》と言ってもいろいろな見え方の人がいます。なかには、白杖《はくじょう》なしではまったく歩けなかったり、どんなに目を近づけたり、ルーペを使ったりしても手元の文字を読むことができない人もいれば、手元の文字はもちろん、ちょっと離《はな》れた場所に書かれた文字なんかでも、単眼鏡《たんがんきょう》（小型《こがた》の望遠鏡《ぼうえんきょう》）を使えば、読むことができる人もいます。ぼくの場合《ばあい》は、手元は大丈夫《だいじょうぶ》だったけれど、遠くはだめだったんですね。

目的地《もくてきち》までの料金《りょうきん》がわからなければ、切符《きっぷ》を買うことができません。一番安い切符《きっぷ》を買っておいて、到着駅《とうちゃくえき》で乗《の》り越《こ》し分の料金《りょうきん》を払《はら》う、という裏技《うらわざ》もなくはありませんが、面倒《めんどう》ですし、できたら、最初《さいしょ》からちゃんと行き先までの切符《きっぷ》を買いたい。

そこで、通りかかった人に尋《たず》ねるわけです。「すみません。目がわるくて料金表《りょうきんひょう》が見えないんですけど、〇〇駅までいくらか、見ていただけませんか」と。

ところが、これが必《かなら》ずしもうまくいかない。親切に教えてくれる人もたくさんいるのですが、怪訝《けげん》な顔をされることがしばしばあるんです。時には、「見えないんだったらメガネをかけろ！」と叱《しか》られてしまったり。メガネをかけろ！　って言われてもねぇ。かけても視力《しりょく》が上がらないからこそ、こうやって必要《ひつよう》な場面では手助けを求《もと》めているんですけど……。

確《たし》かに、当時のぼくは一見して視覚障害者《しかくしょうがいしゃ》だとはわからなかったかもしれません。

白い杖《つえ》はもっていないし、ぼくの視線《しせん》の動きをよくよく観察《かんさつ》でもしなければ、判別《はんべつ》することはできなかったでしょう。そのこと自体は仕方ないかと思います。けれど、目がわるいために見えなくて困《こま》っている旨《むね》は、あらかじめことばにして伝《つた》えているんですよね。にもかかわらず、この対応《たいおう》です。

要《よう》するに、白い杖《つえ》はもっていない、だけど、目がわるいために、そして、メガネやコンタクトを使っても十分には見えるようにならないために、要所要所《ようしょようしょ》で困《こま》り事《ごと》に出くわしている人間がいるんだっていうことが知られていないわけなんです。

多くの人は、視覚障害者《しかくしょうがいしゃ》というと、まず全盲《ぜんもう》の人を思《おも》い浮《う》かべるんでしょうね。弱《じゃく》視《し》という存在《そんざい》も、最近《さいきん》では少しずつ知られるようにはなってきたけれど、まだまだマイナーなようです。実際《じっさい》には、日本に住む視覚障害者《しかくしょうがいしゃ》のうち、八割《わり》は弱視《じゃくし》で、その多くが、一見しただけでは、障害《しょうがい》をもっているかどうかわかりにくい人たちなんですけどね。

知られていないというのは、いろいろな意味でやっかいなことです。ぼくが経験《けいけん》したように、困《こま》っているからこそ手助けを頼《たの》んでいるのに、そのことが相手には理解《りかい》できず、必要《ひつよう》な援助《えんじょ》が受けられなかったり、時には、勘違《かんちが》いされることで人間関係《かんけい》がぎくしゃくしたり。

勘違《かんちが》いされるというのは、たとえばこういうことです。

弱視《じゃくし》の人のなかには、相手の顔がはっきりとは見えないため、道ばたで知り合いとすれちがっても、自分からあいさつをすることができない人がたくさんいます。向こうからあいさつされた場合《ばあい》でも、視線《しせん》が向けられているのが自分なのか、それとも、自分の斜《なな》め前を歩いている見知らぬ誰《だれ》かに対してなのかが判断《はんだん》できず、知り合いにあいさつを返すことができなかったり、そのために躊躇《ちゅうちょ》されたりすることがあります。

これ自体は致《いた》し方《かた》のないことなのですが、困《こま》るのはその先です。たとえあいさつを返すことができなかったとしても、もし、こちらが白杖《はくじょう》をもっていたとしたら、つまり、視覚障害者《しかくしょうがいしゃ》であることがわかっていたとしたら、先方は「私《わたし》だということに気づかなかったんだろうな」と、たぶん納得《なっとく》してくれると思うんです。どうしようもありませんからね。

だけど、相手に「見えていない」ということが伝《つた》わらなければ、「なんだ、あの野《や》郎《ろう》、あいさつもしやがらないで！」と腹《はら》を立てられてしまうかもしれません。腹《はら》までは立てられないまでも、「無愛想《ぶあいそう》なやつだ」と勘違《かんちが》いされ、よくない印象《いんしょう》をもたれてしまうかもしれませんよね。

かといって、知り合いすべてに、「私《わたし》は弱視《じゃくし》で、世の中には、メガネをかけても十分に視力《しりょく》が上がらない人がいて……」なんて説明《せつめい》してまわるのは面倒《めんどう》です。ごく親しい人たちくらいには話しておいたほうがあとあと楽かもしれませんが、道で会ったときにあいさつを交《か》わす程度《ていど》の人にまで説明《せつめい》するのは大変《たいへん》です。そもそも、説明《せつめい》するきっかけ自体をつかむのが難《むずか》しそうですしね。

それどころか、なかには、どんなに説明《せつめい》しても、近視《きんし》や乱視《らんし》とのちがいが理解《りかい》できず、「いいメガネ屋を紹介《しょうかい》しようか」などと、とんちきなアドバイスをする人も出てくるかもしれません。思《おも》い込《こ》みってすごいですからね。全盲《ぜんもう》ではない、けれど、ただの近視《きんし》や乱視《らんし》でもないという人間がいることが、どうしても理解《りかい》できない人って、結《けっ》構《こう》いるんですよ。

それと、あとで少し詳《くわ》しくお話ししたいと思いますが、自分の障害《しょうがい》について人に話すのって、時にすごく勇気《ゆうき》がいったり、しんどいことだったりするんですよね。みんながそうだったり、いつもそうだったりするわけではありませんけど。

ともあれ、困《こま》っているということ、できないんだということについて、よく知られていないというのは、とても不便《ふべん》なことなんです。

全盲《ぜんもう》となった現在《げんざい》のぼくに向かって、「見えないんだったらメガネをかけろ！」なんてことを言う人はまずいません。それは、視覚障害者《しかくしょうがいしゃ》であることが見た目にすぐわかり、視力《しりょく》の矯正《きょうせい》がききそうにないこと、困《こま》っているだろうことが容易《ようい》に理解《りかい》できるからでしょう。

切符《きっぷ》を買う際《さい》に料金表《りょうきんひょう》が読めないという点は、弱視《じゃくし》のころもいまもおんなじなんですよね。けど、わかりやすい障害者《しょうがいしゃ》であるいまは、比較的容易《ひかくてきようい》に手助けを得《え》ることができて、障害者《しょうがいしゃ》であることがわかりにくかったころはそれが難《むずか》しかった。以前《いぜん》といまと、どちらが大変《たいへん》だったかというと、この件《けん》について言うならば、まちがいなく弱視《じゃくし》だったころなんですよね。これは、どういうことなんでしょうか。

合わないサイズの服でも、がまんしろ!?

よく知られていないこと、大変《たいへん》さが理解《りかい》されていないことで、軽度障害者《しょうがいしゃ》が経験《けいけん》することとなる困難《こんなん》は、個人《こじん》と個人《こじん》との関係《かんけい》についてだけ見られるものではありません。人びとに知られていない、理解《りかい》されていないということは、必要《ひつよう》な施策《しさく》や社会的対応《しゃかいてきたいおう》の立《た》ち後《おく》れをもたらします。

やはり弱視《じゃくし》だったころに、こんな経験《けいけん》をしたことがあります。舞台《ぶたい》はおなじく駅で、これまたおなじく券売機《けんばいき》で切符《きっぷ》を買おうとした際《さい》の話です。

このときは、ぼくは一人ではなく、全盲《ぜんもう》の友だちと一緒《いっしょ》でした。駅の周辺《しゅうへん》には、たくさんの自転車が放置《ほうち》され、お店の看板《かんばん》が無遠慮《ぶえんりょ》に歩道にせり出しています。ぼくは、目に神経《しんけい》を集中させ、それらにぶつからないよう気をつけながら友だちを誘導《ゆうどう》しました。こういった場面では、全盲《ぜんもう》よりは、非力《ひりき》とはいえ多少とも視力《しりょく》のある弱視者《じゃくししゃ》のほうが強いですからね。

ところが、駅にたどり着き、券売機《けんばいき》の前に立ってしばらくしたあと、二人の関係《かんけい》はきれいに入《い》れ替《か》わってしまったんです。

ぼくはあたりまえのこととして、自分が切符《きっぷ》を買うべきだと考えました。だって、彼《かれ》よりも、ぼくのほうが障害《しょうがい》が軽いんですもの。ぼくが手助けをする側《がわ》にまわるのは当然《とうぜん》のように思えました。

ぼくは券売機《けんばいき》にコインを入れて、目的《もくてき》の料金《りょうきん》ボタンを探《さが》しました。幸い、何度も利用《りよう》したことのある区間だったので、いくらの切符《きっぷ》を買えばいいかはおぼえています。料金表《りょうきんひょう》が見えなくても大丈夫《だいじょうぶ》です。

ところが、ボタンの並《なら》ぶパネルに、目をこすりつけんばかりにして近づけても、数字を読みとることができません。ふだんはそんなことはないのに。その日は目の調子がわるかったのか、あるいは、券売機《けんばいき》周辺《しゅうへん》が暗かったのか。ともあれ、記されている文字を読みとることができませんでした。そのうち、顔を近づけすぎて、鼻で関係《かんけい》のないボタンを押《お》してしまいそうになったり……。

そのときです。四苦八苦しているぼくの様子に気づいたのか、友だちが声をかけてきました。「よかったら、おれが買おうか」。場所をゆずると、彼《かれ》はすばやくパネルに指を走らせ、ものの数秒もしないうちにひとつのボタンを探《さぐ》りあてました。券売機《けんばいき》の料金《りょうきん》ボタンには、点字が付《ふ》されていたんですね。

なんのことはない、点字の読める彼《かれ》に、最初《さいしょ》から頼《たの》めばよかったのです。そのころのぼくは、点字は読めませんでした。

点字による表示《ひょうじ》のついた券売機《けんばいき》は、ずいぶんと普及《ふきゅう》するようになりました。一方、弱視者《じゃくししゃ》でも見やすいように、文字の色や大きさ、文字を照《て》らす明るさなどに配慮《はいりょ》した券売機《けんばいき》は、まだまだごく限《かぎ》られています。

そのために、多くは重度の視覚障害者《しかくしょうがいしゃ》であるはずの点字使用者は困《こま》らないにもかかわらず、目の見え方でいえば障害《しょうがい》が軽いはずの人たちが困難《こんなん》を感じる、という現象《げんしょう》が起こってしまうわけです。

こんなふうに書くと、「じゃあ、弱視《じゃくし》の人も点字を勉強すればいいじゃないか？」と疑問《ぎもん》に思う人がいるかもしれません。もちろん、弱視《じゃくし》であろうと、まったく視覚障《しかくしょう》害《がい》がなかろうと、勉強したい人はどんどん点字を勉強すればいいと思います。だけど、この場合《ばあい》の解答《かいとう》としては、ちょっとちがうと思うんですね。

それって、言ってみれば、ちょうどからだに合うサイズの服がないなら、多少不格《ぶかっ》好《こう》でも大きいサイズの服でがまんしておけ、というのとおなじじゃないでしょうか。点字が不格好《ぶかっこう》だと言っているのではありません。趣味《しゅみ》で大きいサイズの服を着るのは自由だし、また、どうしてもそのサイズしかないというのであれば、仕方ないでしょう。だけど、問題はそうではないわけです。

誰《だれ》しも、からだにぴったり合った服が、ちゃんとあるはずなんですよね。つまり、大きさだとか、コントラストだとかをちょっと工夫《くふう》すれば、弱視者《じゃくししゃ》のかなりの部分は、一般《いっぱん》の文字を読むことができるわけです。だとしたら、その方向で対応策《たいおうさく》を考えていくのが筋《すじ》ではないでしょうか。

けれど、残念《ざんねん》なことに、視覚障害者《しかくしょうがいしゃ》の文字といえば、そく「点字」というのが一般《いっぱん》的《てき》なイメージです。視覚障害者《しかくしょうがいしゃ》自身も、わりと最近《さいきん》まで、点字の普及《ふきゅう》に見せたような熱心《ねっしん》さでは、弱視者《じゃくししゃ》のための文字の普及《ふきゅう》をはかることをしてきませんでした。

おそらく、点字を使う人たちが直面している問題にくらべれば、障害《しょうがい》が軽い人たちの問題は、まだましなんじゃないかという思《おも》い込《こ》みもあったんじゃないかと思います。当事者にしてみれば、必要《ひつよう》な場面で必要《ひつよう》な情報《じょうほう》の記されたた文字を読むことができないという状況《じょうきょう》に、なんら変《か》わりはないんですけれども。

弱視者《じゃくししゃ》に限《かぎ》らず、軽度障害者《しょうがいしゃ》は、往々《おうおう》にして、社会から十分にその存在《そんざい》が理解《りかい》されない傾向《けいこう》にあります。困難《こんなん》が理解《りかい》された場合《ばあい》でも、そのしんどさの度合いは、重度障害者《しょうがいしゃ》とくらべれば比較的軽微《ひかくてきけいび》なもの、したがって、優先順位《ゆうせんじゅんい》も低《ひく》いものとして扱《あつか》われがちです。

そのため、困難《こんなん》を取《と》り除《のぞ》くための社会的対応《しゃかいてきたいおう》という面でも、置《お》き去《ざ》りにされがちとなっていて、そのことが、軽度者の困難《こんなん》を、時に重度者以上《いじょう》のものにしてしまうわけです。

自分からも隠《かく》したいこと

ここまで、重度障害者《しょうがいしゃ》とくらべ、困難《こんなん》の度合いが過小《かしょう》に評価《ひょうか》されたり、存在《そんざい》自体が十分に知られていないために背負《せお》い込《こ》まされたりするしんどさというものが軽度障《しょう》害者《がいしゃ》にはあるんだ、という話をしてきました。

ところが、実はその一方で、当の軽度者自身のなかに、自分の障害《しょうがい》を隠《かく》したり、感じているしんどさをたいしたことはないかのように見せようとする傾向《けいこう》があったりもするから、やっかいです。これは軽度の人に限《かぎ》らず、障害者《しょうがいしゃ》全体にも言えることです。

どういうことでしょうか。たとえば、こんな具合《ぐあい》です。

Aさんは、工場で働《はたら》いていたとき手を機械《きかい》に巻《ま》き込《こ》まれ、右手の指のうち三本を失《うしな》ってしまいました。最初《さいしょ》、残《のこ》った二本の指だけでさまざまな作業をこなすのは大変《たいへん》でしたが、幸い、慣《な》れるにしたがって、生活していく上で必要《ひつよう》な動作の大半は、問題なくこなせるようになりました。

けれども、Aさんにとって、二本しか指のないその手を人目にさらすのは気の重いことでした。ですから、人前に出るとき、いつもAさんは右手をポケットに入れています。そうしてさえいれば、指を失《うしな》ったこと、障害者《しょうがいしゃ》であることを知られることはないからです。

Aさんのように、障害《しょうがい》があるからだの部位《ぶい》を隠《かく》したり、動かないのに動くふり、聞こえていないのに聞こえているふりをすることで、自分に障害《しょうがい》があることを秘密《ひみつ》にしようとする人は少なくありません。

健常者《けんじょうしゃ》とのちがいが小さく、隠《かく》したり、健常者《けんじょうしゃ》らしく見せたりすることが比較的《ひかくてき》容易《ようい》なためか、障害《しょうがい》があることを秘密《ひみつ》にするのは軽度の人により多く見られるふるまいです。けれど、重度の障害者《しょうがいしゃ》にも見られないわけではありません。まったく障害《しょうがい》がないように見せるのは無理《むり》でも、障害《しょうがい》を軽く見せる、少しでも健常者《けんじょうしゃ》に近いかのように見せることは、重度の場合《ばあい》でもできますから。

なぜ、障害者《しょうがいしゃ》はそのような態度《たいど》をとるのでしょう。どうしてありのままの自分を他人に見せようとはしないのでしょうか。

ひとつは、こういうことじゃないかと思います。自分の障害《しょうがい》に対して、自分自身が否定的《ひていてき》な感情《かんじょう》をもっているために、他人から見られるのが恥《は》ずかしい、かっこわるいと思っているので隠《かく》したい……。

障害《しょうがい》を奇異《きい》な目で見たり、あわれむような視線《しせん》を向けたりするのはやめましょう、といったことを口で言うのは簡単《かんたん》です。けれど、そのような感覚《かんかく》、感情《かんじょう》が一朝一夕《いっちょういっせき》にして人びとから消え去るわけはありません。

ぼくにしたって、自分自身が障害者《しょうがいしゃ》であるにもかかわらず、ことばによるコミュニケーションが難《むずか》しい人たちなど、ある種《しゅ》の障害者《しょうがいしゃ》に対しては、避《さ》けたりとまどったりしてしまう感覚《かんかく》をおぼえることがあります。自分のそんな感覚《かんかく》を好《この》ましいものだとは思わないし、できることならそんな気持ちとはさっぱりとおさらばしたいけど、すぐにそうできるかといえば、おそらく無理《むり》でしょう。ずいぶんと、そして、ゆっくりと時間をかけつつ、自分のなかのとまどいとつきあっていくしかないわけです。

こうした障害《しょうがい》に対する否定的《ひていてき》な感覚《かんかく》は、他人にだけでなく、時に自分自身の障害《しょうがい》に対しても向けられます。

ぼくの場合《ばあい》、幸運にも、人生のほとんどの局面では、自分の障害《しょうがい》については否定的《ひていてき》な感覚《かんかく》を抱《いだ》くことなくくることができたけれど、それでも、弱視《じゃくし》から全盲《ぜんもう》になった直後の一時期には、見えないことをひどく嫌《いや》な事柄《ことがら》として意識《いしき》したことがありました。障害者《しょうがいしゃ》である自分が嫌《いや》だったんですね。

そのように、自分の障害《しょうがい》を忌避《きひ》したり、人目にさらすのはかっこわるいと感じている人が、障害者《しょうがいしゃ》であることを悟《さと》られないようにしたり、障害《しょうがい》をなるべく小さく見せようとするのは、至極当然《しごくとうぜん》ですよね。

障害《しょうがい》に限《かぎ》らず、誰《だれ》だって、自分が嫌《いや》だと感じている部分、欠点《けってん》だと思っていることについては隠《かく》したいものです。いまのぼくは、視覚障害《しかくしょうがい》を隠《かく》したいとは思わないけれど、思いっきり出《で》っ張《ば》ってきたお腹《なか》は、できることなら隠《かく》したいと思っています。

ただ、障害《しょうがい》を隠《かく》すというふるまいを動機《どうき》づけるのは、そうした否定的《ひていてき》な感情《かんじょう》だけではありません。欠点《けってん》だから隠《かく》す、かっこわるいから隠《かく》すといった理由の他《ほか》に、より実際的《じっさいてき》な必要《ひつよう》から、おなじふるまいがとられることがあります。

障害者《しょうがいしゃ》であるって、想像以上《そうぞういじょう》に、いろいろ面倒《めんどう》くさいんですよ。だから、障害者《しょうがいしゃ》でないように見せる。

たとえば、自分では「指が二本しかなくてもどうってことないや」と思っているんだけども、周《まわ》りはそのようには見てくれない。びっくりしたように視線《しせん》をそらす人もいれば、同情《どうじょう》の目を向けてくる人もいる。そんなふうな視線《しせん》にさらされ続《つづ》けるのって、気持ちいいものじゃありませんよね。だから隠《かく》す。

場合《ばあい》によっては、障害《しょうがい》があることがわかると仕事に雇《やと》ってもらえないから隠《かく》すっていうこともあります。べつに障害《しょうがい》があることで仕事に支障《ししょう》をきたすわけでもないのに、勝手な思《おも》い込《こ》みで業務《ぎょうむ》にさしさわりがあると判断《はんだん》されたり、この人はなんか面倒《めんどう》くさそうだから雇《やと》うのは他《ほか》のやつにしておこう、といったような取《と》り扱《あつか》いを受けたりすることがあるんですね。

本当に仕事に支障《ししょう》があるのにそれを隠《かく》したりごまかしたりしたら問題ですけど、そういうわけではありませんからね。自分の障害《しょうがい》をあえて隠《かく》すのは、周《まわ》りの偏見《へんけん》や思《おも》い込《こ》みによって自分が不利益《ふりえき》を被《こうむ》らないための方便《ほうべん》のようなものです。これも障害者《しょうがいしゃ》に限《かぎ》らず、一般《いっぱん》に用いられる一種《しゅ》の作戦《さくせん》かもしれません。

この二つの動機《どうき》による「障害隠し《しょうがいかく》」ですが、ふるまいそれ自体としてはおなじではあるけれど、行っている側《がわ》の心理としては、かなりちがっていますよね。

一方は、自分の障害《しょうがい》を心底隠《しんそこかく》したいと思っている。なにせ、自分でも、それをかっこわるいもの、人に知られたくない欠点《けってん》と考えているわけですから。

けれど、もう一方はそうではありません。あくまで実利的《じつりてき》な理由から、障害《しょうがい》を隠《かく》しているだけです。もし、周囲《しゅうい》の人たちが好奇《こうき》の目や同情《どうじょう》の目で見ることをしなくなったら、また、障害《しょうがい》があるからといって先入観《せんにゅうかん》をもって不利《ふり》に扱《あつか》われたりすることがなくなったら、隠《かく》すなんて面倒《めんどう》なことはしなくてすむわけです。

後者の場合《ばあい》でも、障害《しょうがい》を隠《かく》している側《がわ》にはそれなりのしんどさはあるかと思います。一種《しゅ》の処世術《しょせいじゅつ》ではあるけれど、やはり、ばれたらどうしようという不安《ふあん》や、ごまかしていることへの後ろめたさといったものがつきまといがちです。

けれど、自分で自分の障害《しょうがい》に対して否定的《ひていてき》な感覚《かんかく》を抱《いだ》いているがゆえに行われる障《しょう》害隠《がいかく》しのほうは、それどころではないと思います。うまくすれば、他人の目はごまかすことができるかもしれません。けれど、自分の目から自分自身の障害《しょうがい》を隠《かく》すことは絶対《ぜったい》にできない。自らの障害《しょうがい》を「かっこわるい」「恥《は》ずかしい」と感じる自分の目は、ポケットのなかであろうとどこであろうと執拗《しつよう》に追っかけてくるわけです。これって、相当にしんどいことですよね。

「いいかっこ」だってしたい！

障害《しょうがい》を隠《かく》すということについて、ぼくにはこんな思い出があります。正確《せいかく》には、障《しょう》害《がい》そのものを隠《かく》したわけじゃないんですけどね。高校生のころの、恋愛《れんあい》にまつわるエピソードです。

これまでお話ししてきたような理由から、軽度障害者《しょうがいしゃ》のなかには、障害《しょうがい》をもってい

ることを周囲《しゅうい》の人たちに秘密《ひみつ》にしたり、困《こま》っていても手助けを頼《たの》むことを躊躇《ちゅうちょ》する人たちが少なくありません。ぼくも、説明《せつめい》してもわかってもらえなかったり、嫌《いや》な経験《けいけん》を何度もしていますから、できることなら、見知らぬ人にはあまり助けを求《もと》めたくはありませんでした。

ただし、友だちについては別《べつ》でした。幸運なことに、友だちにはとてもめぐまれていたようで、お互《たが》い、特別《とくべつ》に意識《いしき》することなどなくても、わりと自然《しぜん》なかたちでサポートを得《え》ることができていたように思います。小学校時代の野球の件《けん》だって、双方《そうほう》が満足《まんぞく》できる結果《けっか》とはならなかったものの、なんとかぼくを仲間《なかま》に入れようとした友だちの気持ちはうれしいものだったわけです。

だから、友だちと一緒《いっしょ》にいるときについては、ぼくはあまり無理《むり》をする必要《ひつよう》はありませんでした。小学校からずっと一般《いっぱん》の公立学校に通っていたので、友だちはみんな健常者《けんじょうしゃ》です。遠くの文字が読めなければ、「わるいけど、ちょっと読んでくれへん?」と頼《たの》み、自転車に乗っていて、ぼくの視力《しりょく》がおよばないくらい先に友だちが行ってしまったときは、「こらっ、ちょっと待たんかい、速く行きすぎ！」と怒鳴《どな》ればよかった。

ところが、友だちに対しては無理《むり》はしないのに、どういうわけか、彼女《かのじょ》の前ではそれができないことがよくあったんですね。ぼくが弱視《じゃくし》であることは彼女《かのじょ》も知っていました。ぼくの場合《ばあい》、自分が障害者《しょうがいしゃ》であることそのものを隠《かく》したいという気持ちはありませんでしたからね。

ただ、なぜだかデートとなると、ぼくは一生懸命《いっしょうけんめい》、健常者《けんじょうしゃ》の男性《だんせい》がするのとおなじようにふるまおうとしたんです。

そのころのぼくは、デートでは、必《かなら》ず男性《だんせい》が女性《じょせい》をエスコートしなくちゃなんないものと思《おも》い込《こ》んでいたんですね。入るお店を選《えら》んだり、おすすめのメニューを紹介《しょうかい》してみせたりするのが、男の役目だと思っていた。それができない男はダメだと。

ところが、ある程度《ていど》見えているとはいえ、弱視《じゃくし》であるぼくの視力《しりょく》では、難《むずか》しいことも多いわけです。何度も入ったことのあるお店なら、全体の雰囲気《ふんいき》が頭のなかになんとなく映像《えいぞう》として残《のこ》っているため、看板《かんばん》の文字などが読めなくても、彼女《かのじょ》を案内《あんない》することはできます。

だけど、初《はじ》めてのお店となるとお手上げです。ぼくの視力《しりょく》では、外観《がいかん》からどのお店が何屋さんであるかを区別《くべつ》するのすら難《むずか》しい場合《ばあい》が多かった。マクドナルドみたいに、大きくてわかりやすい看板《かんばん》でも出ていれば別《べつ》ですけどね。

かといって、せっかくのデートにファストフードじゃねえ。やはり、洒落《しゃれ》たカフェやレストランにも入って、余裕《よゆう》のあるところを彼女《かのじょ》に見せたいわけですよ、男心としては。

もう少し歳《とし》を重ねて、経験《けいけん》を積《つ》んだあとになって思えば、苦手なことを彼女《かのじょ》にまかせるのって、なにもおかしなことじゃないとわかるんですよね。むしろ、そうしたほうが自然《しぜん》だし、うまくいく気がします。もちろん、むこうもおんなじことが苦手だったりしたら話はちがってくるけど。

これって、障害《しょうがい》の有無《うむ》に関係《かんけい》なく言えることなんじゃないかと思います。そもそも、障害《しょうがい》のあるなしにかかわらず、デートのかたちなんていろいろあっていいわけだし。

だけど、高校生のころのぼくには、まだそんなことはわかりませんでした。デートの際《さい》、彼女《かのじょ》を上手《じょうず》にエスコートすることすらできない男なんてのは、最低《さいてい》だと思っていました。

そこで、ぼくは考えました。いきなり出かけてもわからないのなら、予習をすればいいんじゃないかと。予習といっても、ぼく一人で行ったのでは、デートにふさわしい洒落《しゃれ》たお店を見つけることなんてできません。ここは、よく見える目を借《か》りる必要《ひつよう》があります。

新しいデートコースの開拓《かいたく》のために、ぼくは友だちを動員しました。「メシをおごるから、つきあってくれや」という感じで、デート本番の前の休みの日に、友だちと下見をしてまわるわけです。

お茶を飲んだり、食事をしたりするお店は彼《かれ》に探《さが》してもらいます。友だちもぼくの彼女《かのじょ》のことはよく知っていますから、どんなお店を好《この》むだろうということもおおよそは推測《すいそく》できます。余裕《よゆう》があれば、二軒《けん》くらい候補《こうほ》のお店を見つけておいて、当日、彼《かの》女《じょ》に選《えら》んでもらえるようにします。

候補《こうほ》の店が決まったら、ぼくは自分の視力《しりょく》でも確認《かくにん》することのできる目印《めじるし》を探《さが》します。壁《かべ》がれんが造《づく》りだとか、隣《となり》が駐車場《ちゅうしゃじょう》だとか、青い色の看板《かんばん》が出ているとか。そのようにしておぼえておけば、デート当日もほぼ問題なく目的《もくてき》のお店までたどり着くことができました。店までの道順《みちじゅん》なども、もちろんわかるようにおぼえておきます。

つぎに、実際《じっさい》に店に入って、友だちにメニューを読んでもらい、よさそうなものがあれば記憶《きおく》します。ぼくの視力《しりょく》でも読めるメニューもありましたが、店内が暗かったり、飾《かざ》り文字《もじ》などが使われていたりするとお手上げです。当日、彼女《かのじょ》の前で、「こういうのがあるけど、どう?」といいかっこするためには、記憶《きおく》は必須《ひっす》でした。

さすがにメモまではとりませんでしたけどね。なぜか、メモまでとるのはかっこわるいように思えたんです。デートの予習なんかしてる時点で、既《すで》にかなりかっこわるいんですけどね。あのころはそうは考えなかったから。

こうした努力《どりょく》のおかげで、デート本番では、ぼくは彼女《かのじょ》をそれなりにうまくエスコートできたように思います。努力《どりょく》のかいがあったというものです。

ふつうを演《えん》じることの落《お》とし穴《あな》

ところが、ある日、大失敗《だいしっぱい》をしてしまいました。デートの途中《とちゅう》でお腹《なか》が痛《いた》くなってきたんです。どうも下痢《げり》のようで、便意《べんい》をもよおしてきました。

でも、トイレを探《さが》すことがぼくにはできません。お店と同様、トイレについてもいくつかは下見をして、目印《めじるし》を記憶《きおく》してはいましたが、このとき便意《べんい》をおぼえた場所からは、どれも遠すぎました。だって、下痢《げり》になるなんて思ってませんもの。そんなにたくさんのトイレをチェックしてはいません。

だからといって、そのころのぼくの感覚《かんかく》では、彼女《かのじょ》に向かって、「ごめん、トイレを探《さが》して！」なんて、とてもじゃないが恥《は》ずかしくて言えませんでした。なにせ、お

店探《さが》しすら、彼女《かのじょ》にまかすべきでないと考えていたアホタレなわけですから。

そういったわけで、ぼくはがまんしました。不思議《ふしぎ》なもんで、しばらくすると便意《べんい》はおさまってきました。けれど、それはぬかよろこびです。経験《けいけん》のある人も多いかと思いますが、下痢《げり》って、少しがまんしているといったん退《しりぞ》くことがあるんですよね。「治《なお》ったかな?」と思っていると、しばらくしてまた波がやって来ました。しかも、さっきよりずっと高い波になって……。

この繰《く》り返《かえ》しが三回くらいあったでしょうか。次第《しだい》に便意《べんい》は耐《た》え難《がた》いものとなり、そのうち貧血《ひんけつ》を起こしかけているのか、世界が紫色《むらさきいろ》になって遠のき始めたんです。もうかっこわるいだのなんだの言ってられる場合《ばあい》ではありません。ようやくぼくは、彼女《かのじょ》に事態《じたい》を説明《せつめい》し、トイレを探《さが》してくれるよう頼《たの》みました。

幸い、トイレはすぐに見つかりました。間一髪《かんいっぱつ》です。もう一分遅《おそ》かったらやばかったかもしれない。ぼくは、トイレを探《さが》してもらうことなんかとはくらべものにならないくらいに恥《は》ずかしい、ウンコタレになっていたかもしれません。まにあってよかったぁ……。

実はこのあと、窮地《きゅうち》を脱《だつ》してほっとひと息つきながらトイレから出たぼくに、彼女《かのじょ》は小さく笑《わら》いながらこう言ったんですよね。「ずっとがまんしてたやろ？　早く言うたらええのに」。

気づかれていたみたいです。あたりまえですよね。貧血《ひんけつ》を起こしかけていたくらいだもの。たぶん、ぼくの顔は真っ青だったにちがいありません。やりとりも絶対《ぜったい》にぎくしゃくしてたと思うし。ぼくにとっちゃ、それどころじゃなかったもの……。けど、まだつきあって日も浅《あさ》かったし、彼女《かのじょ》もどう声をかけていいか悩《なや》んだようです。下手《へた》に手助けを申し出て、ぼくのプライドを傷《きず》つけてもいけないし。不必要《ふひつよう》な心配をさせて、申《もう》し訳《わけ》ないことをしたと思います。そんなことなら、もっとはやくトイレを探《さが》してもらえばよかった……。

軽度障害者《しょうがいしゃ》は、重度の障害者《しょうがいしゃ》とくらべれば、からだのつくりが健常者《けんじょうしゃ》に近いため、無理《むり》をすれば、時に健常者《けんじょうしゃ》とおなじようにふるまうことができます。でも、これが落《お》とし穴《あな》なんですよね。

おなじようにふるまえると言っても、あくまで「無理《むり》をすれば」なわけです。健常《けんじょう》者用《しゃよう》にできあがっているルール——たとえばデートの作法《さほう》——にしたがおうとすれば、大変《たいへん》なエネルギーを必要《ひつよう》としますし、どこかで破綻《はたん》をきたす可能性《かのうせい》も高い。

おなじように野球をやっているからといって、リトルリーグの選手《せんしゅ》である小学生が、プロ野球の選手《せんしゅ》のために用意されたトレーニングメニューをこなすのには無理《むり》があるのとおなじです。

にもかかわらず、軽度者というのはその無理《むり》をしてしまいがちなんですね。重度であれば、よくもわるくもできないことがはっきりしています。そのために、「いまのルールではだめだ」と気づくことも早い。

周囲《しゅうい》の人びとも、「重度の人にくらべれば……」「軽い障害《しょうがい》はがんばればなんとかなるんだから……」と、無理《むり》を要求《ようきゅう》したり称揚《しょうよう》したりしがちです。ぼくの彼女《かのじょ》のように、

「ずっとがまんしてたやろ？　早く言うたらええのに」と、みんなが言ってくれるとは限《かぎ》らないわけです。

そうやって、健常者《けんじょうしゃ》のようにふるまおうとして挫折《ざせつ》することで、軽度障害者《しょうがいしゃ》のしんどさは、さらに大きなものになっていく。悪循環《あくじゅんかん》から抜《ぬ》け出《だ》しにくくなるわけです。

第4章 「わからない」からはじめる

先入観《せんにゅうかん》が見えなくさせるもの

前の章では、軽度障害者《しょうがいしゃ》には、軽度障害者《しょうがいしゃ》なりの独自《どくじ》な困難《こんなん》があることをお話ししました。

視覚障害《しかくしょうがい》や聴覚障害《ちょうかくしょうがい》、手足の障害《しょうがい》、知的障害《ちてきしょうがい》といったふうに、障害《しょうがい》の種類《しゅるい》がちがえば、経験《けいけん》するであろう困難《こんなん》の中身がちがってくることは、誰《だれ》でもある程度《ていど》は想像《そうぞう》できるかと思います。

けれども、同じ視覚障害者《しかくしょうがいしゃ》であるならば、目のまったく見えない人よりは、少しでも見えている人のほうが多少はましだろう、おなじ聴覚障害者《ちょうかくしょうがいしゃ》なら、ちょっとは聞こえている人のほうが困難《こんなん》は小さいんじゃないか、といった具合《ぐあい》に、障害《しょうがい》の軽重《けいちょう》については、重ければより大変《たいへん》、軽いほど大変《たいへん》さは小さくなるといったように、大変《たいへん》さの度合いのちがいとして理解《りかい》されがちです。

でも、そうじゃなかったわけですね。障害《しょうがい》が軽いからといって困難《こんなん》も軽くなるとは限《かぎ》らない。軽度障害者《しょうがいしゃ》は、周囲《しゅうい》の人びとの理解《りかい》が得《え》られにくかったり、中途半端《ちゅうとはんぱ》に「できる」ことから無理《むり》をせざるを得《え》ず、逆《ぎゃく》に、重度の人以上《いじょう》のしんどさを経験《けいけん》することにもなりがちです。

目の見え方、耳の聞こえ方、手足の動く度合いといったからだの機能《きのう》の面では、重度障害《しょうがい》と軽度障害《しょうがい》は量的《りょうてき》にちがっているだけかもしれません。けれど、実際《じっさい》にくらしていくなかで直面する困難《こんなん》、生きていく上で感じるしんどさという点では、量《りょう》の問題ではなく、質的《しってき》なちがいがそこには認《みと》められるということです。

多くの人たちは、重度障害者《しょうがいしゃ》と軽度障害者《しょうがいしゃ》の関係《かんけい》を、大きなりんごと小さなりんごのようなものだと考えてきました。この場合《ばあい》、ちがいは、どれだけお腹《なか》がふくれるかだけで、味に変《か》わりはありません。

けれど、本当はそうではありませんでした。重度と軽度の関係《かんけい》は、大きなりんごと小さなりんごではなく、りんごとバナナのようなものだったわけです。おなじようにくだものの一種《しゅ》ではあるけれど、りんごとバナナじゃ、味も食感もちがいますよね。別《べつ》のくだものなんですから当然《とうぜん》です。

とすると、それぞれに応《おう》じた食べ方をしなくちゃなりませんよね。りんごだったら、ナイフで皮をむいた上で、食べやすいようにカットして芯《しん》を抜《ぬ》いてもいいし、よく洗《あら》ってから皮ごとかぶりつくのもおいしいでしょう。

だけど、バナナを食べるのに、ナイフはふつう使いませんよね。りんごみたいに皮がついたままかぶりついたら、もごもごしてまずいだけです。バナナには、ちゃんとバナナにふさわしい食べ方というものがある。

障害《しょうがい》の場合《ばあい》もそれはおなじで、それぞれなにに困《こま》っているのか、どんなことをしんどく感じているのかによって、求《もと》められる対応《たいおう》もちがってきます。一般《いっぱん》には、「障害《しょうがい》の重い人のほうに合わせておけば、軽度の人への対応《たいおう》も問題ないだろう」と考えられがちだけれど、そうではないわけです。

もちろん、なかには、重度の人が使えるようにすれば、軽度の人も便利《べんり》に利用《りよう》できるものもなくはありません。エレベーターがあれば、車いすの人だけでなく、杖《つえ》を使っている人をはじめ、その他《ほか》の足に障害《しょうがい》のある人たちも助かることでしょう。さらには、高齢者《こうれいしゃ》やベビーカーを押《お》している人、重たい荷物をもっている人なんかにとっても便利《べんり》かと思います。まったく障害《しょうがい》のない人、高齢《こうれい》でも赤ちゃん連《づ》れでもない人にだって便利《べんり》ですよね。

でも、だからといって、ひとつのありようですべてがカバーできると考えるのは早計です。

たとえば、点字の普及《ふきゅう》は、ふだん点字を使っている人たちにとっては困難《こんなん》が一部解《かい》消《しょう》されたことを意味します。それはそれでよろこばしいことです。だけど、点字ではなく、大きさや色や明るさに配慮《はいりょ》した文字を望《のぞ》んでいる人たちのくらしには、点字が普及《ふきゅう》しても、特段《とくだん》の変化《へんか》はありません。視覚障害者《しかくしょうがいしゃ》といっても、いろんな人たちがいるわけです。

もっと言うなら、重度の視覚障害者《しかくしょうがいしゃ》、軽度の視覚障害者《しかくしょうがいしゃ》といっても、さらにそのなかにはさまざまな人たちが含《ふく》まれます。

重度の視覚障害者《しかくしょうがいしゃ》のすべてが点字を読めるわけではありません。全盲《ぜんもう》の人に限《かぎ》っても、実用に耐《た》える程度《ていど》に点字が読める人は、半数に満《み》たないと言われています。高齢《こうれい》になってから、糖尿病網膜症《とうにょうびょうもうまくしょう》などで失明《しつめい》する人も多いですからね。歳《とし》をとってから、新しいことをおぼえるのは、どんなことでも大変《たいへん》です。

これとは逆《ぎゃく》に、盲学校《もうがっこう》で点字だけを習ってきたために、点字しか読めないという弱視者《じゃくししゃ》もいるんですよ。むかしは、そのような方針《ほうしん》をとる盲学校《もうがっこう》もありましたから。

視覚障害《しかくしょうがい》に限《かぎ》った話ではありません。ひとくちに重度・軽度といっても、さらにそのなかにいろいろな人がいるというのは、聴覚障害《ちょうかくしょうがい》や手足の障害《しょうがい》、その他すべての障害《しょうがい》についても言えることです。

耳の聞こえない人のすべてが、手話で話すわけではありません。手話通訳《つうやく》ではなく、文字による情報提供《じょうほうていきょう》を望《のぞ》む人たちもたくさんいます。

おなじように手に障害《しょうがい》があるといっても、人によってできないこと、苦手とすることはずいぶんとちがっています。文字は書けるけど、口元にフォークやスプーンをもっていくのが難《むずか》しい人がいるかと思えば、その逆《ぎゃく》の人もいる。当然《とうぜん》、困難《こんなん》を解消《かいしょう》するための手段《しゅだん》や、必要《ひつよう》とするサポートもちがってきます。

それに、軽度と重度の境目《さかいめ》そのものも、本当は曖昧《あいまい》なんですよね。たとえば、近所のコンビニまでなら杖《つえ》を使って自分の足で歩いて行くけれど、少し遠出するとなるとちょっと大変《たいへん》なので車いすを利用《りよう》する、といった感じで、自分の足と車いすとを使い分けている人たちも少なからずいます。この人たちは、重度障害者《しょうがいしゃ》なのでしょうか、それとも軽度障害者《しょうがいしゃ》なのでしょうか。

たぶん、無理《むり》にどちらかに区別《くべつ》する必要《ひつよう》はないんだと思います。足で歩いているときには足で歩いているなりの便利《べんり》さと大変《たいへん》さが、車いすを使っているときには車いすで移動《いどう》することの便利《べんり》さと大変《たいへん》さがあることでしょう。

それをそのままのかたちで受けとめるのが、正解《せいかい》なんじゃないかとぼくは思います。

重度とか軽度といった区別《くべつ》は、目なら目、手足なら手足というように、おなじ部位《ぶい》に障害《しょうがい》をもつ人たちのなかにも、いろんな人がいるんだということを知るための、ひとつの手がかりくらいに考えておいたほうがいいかもしれません。

かたまりとして見るという暴力《ぼうりょく》

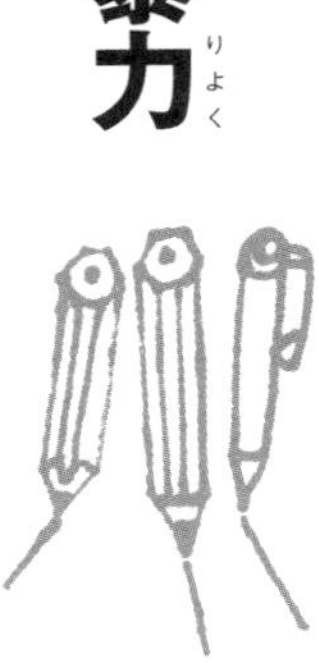

障害者《しょうがいしゃ》が経験《けいけん》する困難《こんなん》、大変《たいへん》さというのは、障害《しょうがい》の種類《しゅるい》によって一律《いちりつ》であるわけでもなければ、その軽重《けいちょう》によって決まるものでもないんだということをお話ししました。人それぞれにその中味はちがっていて、必要《ひつよう》とされる対応《たいおう》やサポートもさまざまです。

ところが、世の中の大半の人はそのことに思いが至《いた》りません。健常者《けんじょうしゃ》だけでなく、障害者《しょうがいしゃ》自身も、自分以外《いがい》の障害《しょうがい》については想像《そうぞう》がはたらかない場合《ばあい》があります。

たとえば、当人が視覚障害者《しかくしょうがいしゃ》である場合《ばあい》なら、視覚障害者《しかくしょうがいしゃ》という集団《しゅうだん》が一枚岩《いちまいいわ》ではなく、いろんなかたちのしんどさを抱《かか》えた人たちが寄《よ》り集《あつ》まって、視覚障害者《しかくしょうがいしゃ》というかたまりを形成《けいせい》しているんだということまでは、了解《りょうかい》しているかもしれません。

だけど、自分たちとは異《こと》なる種類《しゅるい》の障害《しょうがい》をもった人たちについてはどうでしょうか。聴覚障害者《ちょうかくしょうがいしゃ》のなかにもいろんな人たちがいて、いろんなかたちの大変《たいへん》さがあるんだということや、手足に障害《しょうがい》のある人についてもおなじなんだということまでを、視覚《しかく》障害者《しょうがいしゃ》すべてがはっきりと意識《いしき》しているかといえば、そうではないような気がします。

もちろん、逆《ぎゃく》も然《しか》りで、聴覚障害《ちょうかくしょうがい》や手足に障害《しょうがい》のある人たちのなかにだって、同様の傾向《けいこう》が見てとれることでしょう。

障害《しょうがい》の種類《しゅるい》や有無《うむ》を問わず、たいていの人は、聴覚障害者《ちょうかくしょうがいしゃ》なら「聴覚障害者《ちょうかくしょうがいしゃ》」、足に障害《しょうがい》のある人なら「足に障害《しょうがい》のある人」というひとつのかたまりとして、障害者《しょうがいしゃ》のことを捉《とら》えてしまいがちです。

しかも、安易《あんい》なイメージと結《むす》びつけられて、単純化《たんじゅんか》されて理解《りかい》されることが多い。聴覚障害者《ちょうかくしょうがいしゃ》なら手話、足に障害《しょうがい》のある人だったら車いす、といった具合《ぐあい》に。手話を話さない人や、車いすに乗っていない人は、そこでは例外的《れいがいてき》な存在《そんざい》、メインではない存在《そんざい》として隅《すみ》っこに追いやられがちです。

さらには、障害《しょうがい》の種類《しゅるい》や度合いという個別《こべつ》の現実《げんじつ》を一切《いっさい》すっとばして、「障害者《しょうがいしゃ》」というひとかたまりの等質《とうしつ》な存在《そんざい》があるかのように扱《あつか》われてしまうこともめずらしくありません。


ぼくがよく「困《こま》ったなぁ」と思うのは、電車のなかで座席《ざせき》をゆずられてしまうことです。弱視《じゃくし》のころは、見た目には障害者《しょうがいしゃ》とわからなかったため、そういうことはなかったんですけど、全盲《ぜんもう》になって白い杖《つえ》をもつようになってからは、時折《ときおり》、「どうぞ」とゆずられてしまうんですね。

断《ことわ》っておきますが、「ワシはまだまだ若《わか》いのに、年寄《としよ》り扱《あつか》いして座席《ざせき》をゆずりおって！」と腹《はら》を立てるといったような、そういうことじゃありませんよ。むしろ、親切には感謝《かんしゃ》しますし、座《すわ》れたほうが楽ちんに決まってますから、ゆずってもらえればうれしい。断《ことわ》るのもなんだかわるくて、たいていは座《すわ》りますし。

でもね、ぼくには、本当は座席《ざせき》をゆずってもらう理由なんてないんですよね。これが、足に障害《しょうがい》のある人だったり、手に障害《しょうがい》があってつり革《かわ》や棒《ぼう》を握《にぎ》ることができない人だったらわかるんです。障害者以外《しょうがいしゃいがい》でも、妊婦《にんぷ》さんとか、高齢《こうれい》の人とか、若《わか》くても、青い顔をしてしんどそうにしている人とか。

でも、ぼくは目がわるいだけで、足腰《あしこし》は元気ですからね。ゆずってもらうと、なんだか後ろめたい気分になるんですよ。ぼくなんかより、仕事帰りでへとへとに疲《つか》れてるサラリーマンのおっちゃんにでもゆずってあげるほうが、よっぽど理にかなってるんじゃないかと思えてしまうんです。

確《たし》かに、車内や駅のアナウンスでは、「お年寄《としよ》りやからだの不自由《ふじゆう》な人には座席《ざせき》をゆずりましょう」と呼《よ》びかけています。学校でもそう教わるかもしれません。けれど、ひとくちに「からだの不自由《ふじゆう》な人」といっても、いろんな人がいるはずです。

これはあくまでぼく個人《こじん》の見解《けんかい》なんですけれども、高齢《こうれい》だったり、他《ほか》にも障害《しょうがい》があったりするようなケースを除《のぞ》いて、視覚障害者《しかくしょうがいしゃ》に席《せき》をゆずる必然性《ひつぜんせい》って、ほとんどないんじゃないでしょうか。

なぜ座席《ざせき》をゆずるかといえば、立っているとその人は大変《たいへん》だから、あるいは危《あぶ》なかったりするから、ですよね。だとしたら、電車のなかで立っていても、視覚障害者《しかくしょうがいしゃ》は特《とく》に不自由《ふじゆう》を感じたり、特別《とくべつ》にしんどかったりはしません。そりゃ、たいていの人がそうであるように、座《すわ》れたら座《すわ》れたにこしたことはないけれど、座《すわ》れなかったからといって困《こま》ったりはしないわけです。

ただし、つぎのような場合《ばあい》は、ゆずってもらっても罰《ばち》はあたらないだろうな、ということはあります。せっかくホームの一番前に並《なら》んでいたのに、車両に入ってどこに空席《くうせき》があるかわからずうろうろしているうちに、後ろから乗ってきた人がつぎつぎに座《すわ》っちゃって、気がついたら空いている席《せき》がなくなっている、なんて場合《ばあい》です。こういうときは、「おれのほうが早くから並《なら》んでてんぞ。みんな、ずるいやんけ!」って気分になりますね。

まぁ、こうしたケースに限《かぎ》らず、空いている席《せき》があったら教えてもらえるとうれしいですね。見えないと、まだ空席《くうせき》がちらほらあるのに、気づかずに立っている、なんてこともありますから。この点は困《こま》っています。サポート、よろしくです。

リストアップなんてできないよ

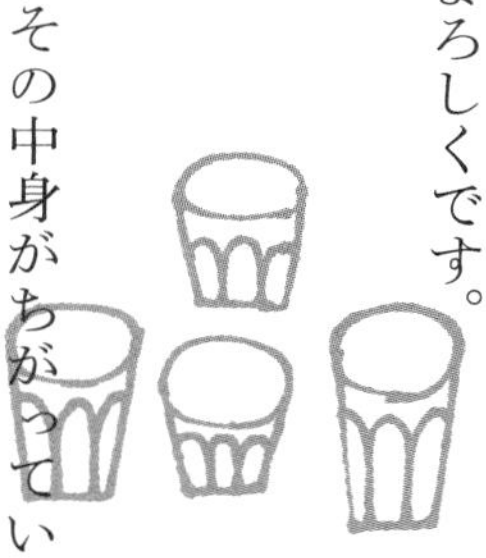

ところで、「障害者《しょうがいしゃ》が経験《けいけん》する困難《こんなん》、大変《たいへん》さは、人それぞれその中身がちがっている」ということは理解《りかい》してもらえたとして、じゃあ、具体的《ぐたいてき》には、それぞれの困難《こんなん》や大変《たいへん》さにどのように対応《たいおう》していけばいいのでしょうか。

「点字の普及《ふきゅう》も大切ではあるけれど、それだけですべての視覚障害者《しかくしょうがいしゃ》の文字にかかわる問題が解決《かいけつ》するわけではない」ということは、一度説明《せつめい》されればわかるかもしれません。おなじように、「『からだの不自由《ふじゆう》な人には座席《ざせき》をゆずりましょう』と言われたからといって、すべての障害者《しょうがいしゃ》に席《せき》をゆずる必要《ひつよう》はない」というぼくの意見も、同意するかどうかはともかく、意味するところは理解《りかい》してもらえるかと思います。

しかし、すべてがこのようにわかりやすいケースばかりではありませんからね。なかには、当の本人すら、なにに困《こま》っていて、どうしてほしいのかがよくわからない、なんてこともあります。いろいろどうもうまくいかないんだけども、それが障害《しょうがい》とかかわりのあることなのか、関係《かんけい》ないことなのか、そもそもそこからして定かでないといったことだってあるでしょう。

たとえ、ここにあげたような比較的《ひかくてき》わかりやすい事例《じれい》であったとしても、すべての障害者《しょうがいしゃ》のすべての困難《こんなん》について、リストアップしていくのは非常《ひじょう》にやっかいです。たとえ似通《にかよ》った障害《しょうがい》をもった人どうしであったとしても、生活環境《かんきょう》や人間関係《かんけい》がちょっと変《か》わるだけで、困難《こんなん》の内容《ないよう》や程度《ていど》は大きくちがってきますからね。

たとえば、おなじように車いすを利用《りよう》している人でも、地元の駅にエレベーターがある人とない人では、外出の際《さい》の大変《たいへん》さはかなりちがうでしょうし、自分で車を運転することができたり、自分ではできなくても、おかかえ運転手がいて、どこにでも行ける人とでは、また大きなちがいがあるでしょう。

ぼくは、全盲《ぜんもう》になって以降《いこう》、洋服を買う際《さい》には、友だちや恋人《こいびと》と一緒《いっしょ》に行って選《えら》んでもらうようにしています。親しい人以外《いがい》に、自分の着る服の選択《せんたく》をまかせるのは不《ふ》安《あん》ですから。お店の人にまかせたら、ぼくに似合《にあ》う商品ではなく、お店の売りたい商品を買わされてしまうかもしれません。行きつけのよっぽど信用《しんよう》できる店なら別《べつ》ですけどね。

だけど、みんながそんなふうにできるわけではありません。友だちや恋人《こいびと》も全員、他人に服を選《えら》んであげられるだけの視力《しりょく》のない人ばかり、ということだってありえます。盲学校《もうがっこう》出身で、友だち関係《かんけい》もそこに限定《げんてい》されているというような人なんかだと、そういうことも考えられます。

なかには、仕方がないのでおかあさんに選《えら》んでもらったら、めちゃくちゃダサい格《かっ》好《こう》になってしまった、なんてやつもいます。世代がちがうと、ファッション感覚《かんかく》ってずいぶんちがったりしますからね。

「理解《りかい》」にひそむ嘘《うそ》くささ

ともあれ、そんなふうに一人ひとり、てんでばらばらなものである大変《たいへん》さや困《こま》り事《ごと》について、あらかじめ全部知っておくことなんてできるわけがありません。

最近《さいきん》よく、「障害者《しょうがいしゃ》の理解《りかい》」なんてことが言われますけど、あらかじめ理解《りかい》できることなんて限《かぎ》られているんですよね。そりゃ、手話を習ったり、視覚障害者《しかくしょうがいしゃ》と一緒《いっしょ》に歩く際《さい》の誘導法《ゆうどうほう》について学んだりすることはわるいことではありません。

でも、実際《じっさい》にあなたが学ぶことができるのは、手話であり、誘導法《ゆうどうほう》であって、手話を使っている人たちのことそれ自体や、誘導《ゆうどう》を受ける視覚障害者《しかくしょうがいしゃ》そのものについてではないんですよね。もっと言えば、手話や誘導法《ゆうどうほう》についても、たいていの場合《ばあい》は部分《ぶぶん》的《てき》に知ることができるだけですけれども。

「いや、私《わたし》は視覚障害者《しかくしょうがいしゃ》の誘導法《ゆうどうほう》を習うと同時に、目の見えない人たちの心理や生活上のさまざまな困難《こんなん》についても学んだ」と反論《はんろん》する人もいるかもしれません。

でも、一度考えてみてください。「目の見えない人の心理」というようなものがあるのだとしたら、「目の見える人の心理」というものもあるはずですよね。

あなたの周囲《しゅうい》の人たちがみんな視覚障害者《しかくしょうがいしゃ》ではなかったとしましょう。だとしたら、あなたと、あなたのおかあさんと、あなたのおじいさんと、あなたの叔母《おば》さんと、いとこと、友だちAさんと、友だちBさんと、友だちCさんと、英語担当《えいごたんとう》のD先生と、体育担当《たんとう》のE先生と、学校の向かいのパン屋のおばさんと、いつもコンビニのレジにいるバイトのお兄《にい》さんとは、みんなおんなじ心理をしていたりするでしょうか？　もし仮《かり》に、どこかに共通点《きょうつうてん》を見つけることができたとしても、それを知ったことで、あなたは、「その人たちのことを理解《りかい》した」と言うでしょうか？

たぶん、答えは「ノー」じゃないかと思います。これとおなじです。ひとくちに視《し》覚障害者《かくしょうがいしゃ》といってもいろんな人がいます。困難《こんなん》の多様さについては繰《く》り返《かえ》し述《の》べてきましたが、そうした困難《こんなん》に直面した際《さい》の態度《たいど》や心理も、人によってさまざまです。器用《きよう》に解決策《かいけつさく》を見つけ出したり、積極的《せっきょくてき》にサポートを求《もと》めることのできる人もいれば、がまんしたり、あきらめてしまったりする人もいます。なにか壁《かべ》にぶつかると、壁《かべ》を乗《の》り越《こ》えるために闘志《とうし》を燃《も》やす人もいれば、落《お》ち込《こ》んで内にこもってしまう人もいます。周《まわ》りの誰《だれ》かにやつあたりする人だっているかもしれません。

おなじ一人の人間であっても、あるときは俄然《がぜん》前向きになるけれど、別《べつ》のあるときは気持ちがしょぼくれてしまうということだってあるでしょう。ぼくも、ヘラヘラと平気で笑《わら》っていることもあれば、へなちょこモードに突入《とつにゅう》して、うじうじしてしまうこともある。そのときの状況《じょうきょう》や気分でいろいろです。

障害者《しょうがいしゃ》であろうが、健常者《けんじょうしゃ》であろうが、人間を簡単《かんたん》に理解《りかい》するなんてことは、もともとできっこないことなんですね。ところが、「障害者《しょうがいしゃ》」についてはひとくくりにされて、あたかもそれが可能《かのう》であるかのような誤解《ごかい》が、なぜかはびこっています。

こころのありようなんてものはもちろんのこと、なにに困《こま》っているか、どうしたらいいのか、といったことについても、丸ごと知るなんてことはできませんし、する必要《ひつよう》もありません。

むしろ、大切なのは、「自分は相手のことをわかっていないんだ」ということをちゃんと知っておくことではないでしょうか。「わからない」ということをわかっていれば、相手のことばにしっかり耳を傾《かたむ》けることもできます。

しっかり耳を傾《かたむ》ければ、わからないことも少しずつわかってきますよね。ちょっとした手助けひとつをするにしても、このことを理解《りかい》している場合《ばあい》と、そうでない場合《ばあい》とでは、ずいぶんと結果《けつか》がちがってきます。

このことは、健常者《けんじょうしゃ》が障害者《しょうがいしゃ》に向き合う場合《ばあい》にだけ言えることではありません。健常者《けんじょうしゃ》どうしの出会いだって、まったくおなじです。わからなければわかろうとするけど、わかった気になると、そこから先にはすすめなくなってしまいます。

だから、相手のことをわかっていないということは、恥《はじ》でもなんでもないわけです。むしろ、わかっていないというその事実こそが、人を出会わせ、交わらせる原動力なのではないでしょうか。

「わかっている」を押《お》しつけないで

ところが、勘違《かんちが》いして、わかった気になっている人というのがたくさんいるわけです。そうした人たちほど、障害者《しょうがいしゃ》にとって迷惑《めいわく》な存在《そんざい》はないと、ぼくはかねがね思っています。勝手なやり方を平気で押《お》しつけてくるんですもの。

本人は、「私《わたし》はわかっているんだ」と思っていますから、こっちがていねいに説明《せつめい》して、やり方を変《か》えてもらおうとしても、なかなか通じないんですね。前に、こんなことがありました。

最近《さいきん》では、もっぱらコンピューターを使って音声によるシステムで本を読んでいるため、ほとんど利用《りよう》することはないのですが、以前《いぜん》は、対面読書（対面朗読《ろうどく》ともいう）といって、図書館にある専用《せんよう》の小部屋《こべや》で、ボランティアの人に本を読んでもらう

サービスを、よく利用《りよう》していました。

全盲《ぜんもう》になってからの話です。弱視《じゃくし》のころは、自分の目で本を読めましたからね。机《つくえ》をはさんで向かいに座《すわ》ったボランティアさんが、ぼくのもっていった本をリアルタイムで音読してくれるんです。

上手《じょうず》な人もいれば、下手《へた》くそな人もいます。一応《いちおう》、試験《しけん》のようなものを受けて、合格《ごうかく》した人だけが対面読書のボランティアをできるというしくみにはなっているんですけど、図書館によってはその基準《きじゅん》が甘《あま》く、聴《き》く側《がわ》としてはかなり苦痛《くつう》に思える読み手でも、がまんせざるを得《え》ませんでした。

まぁ、みんな初《はじ》めから上手《じょうず》だったわけではないでしょうからね。新人のボランティアさんが下手《へた》くそなのは仕方ありません。こちらも、将来《しょうらい》への投資《とうし》と思って、おつきあいするわけです。ぼくは、対面読書サービスのヘヴィーユーザーだったので、図書館の職員《しょくいん》さんからも、「わるいけど、新人さんでお願《ねが》い！」と頼《たの》まれたりして。数をこなさなきゃ上手《じょうず》になりませんから、利用者《りようしゃ》の誰《だれ》かが貧乏《びんぼう》くじを引かなきゃならないわけです。

そういう人にあたってしまったときは、難《むずか》しそうな専門書《せんもんしょ》などはなるだけ避《さ》けて、小説《しょうせつ》やエッセイ、しかも大好《だいす》きな作家のものではなくて、「まぁ、試《ため》しに読んでみようか」程度《ていど》のものをお願《ねが》いするようにしていました。好《す》きな作家の本は、やはりちゃんと読んでほしいですからね。

でも、一番困《こま》るのは、そういった技術的《ぎじゅってき》に未熟《みじゅく》な人ではありませんでした。朗読《ろうどく》自体はそれなりにうまいんですけど、自分のやり方を「正しいもの」と思《おも》い込《こ》んで、その思《おも》い込《こ》みを曲げない人が、ごく少数ではあるけれどいるんですね。

たとえば、本を読んでもらっている途中《とちゅう》で、ボランティアさんに読めない漢字が出てきたとします。対面読書のボランティアをやっているくらいですから、みなさん漢字はよく知っています。それでも、固有名詞《こゆうめいし》の読み方をはじめ、読めない漢字というものは必《かなら》ず出てきます。漢字というものはそういうものですから、これ自体は仕方ありません。

こういったとき、通常《つうじょう》はまず、利用者《りようしゃ》、つまり、この場合《ばあい》だったらぼくに尋《たず》ねるのが基本《きほん》です。全盲者《ぜんもうしゃ》のなかにも、漢字についてよく知っている人はいます。ぼくは、「よく知っている」というほどではありませんが、以前《いぜん》見えていたこともあり、「穴冠《あなかんむり》の下に井戸《いど》の井《い》」といった感じで説明《せつめい》してもらえれば、読みを答えることができるケースもありました。（ちなみに、これは「穽」という字で、「せい」と読みます。）

いま、あなたが向き合っている人

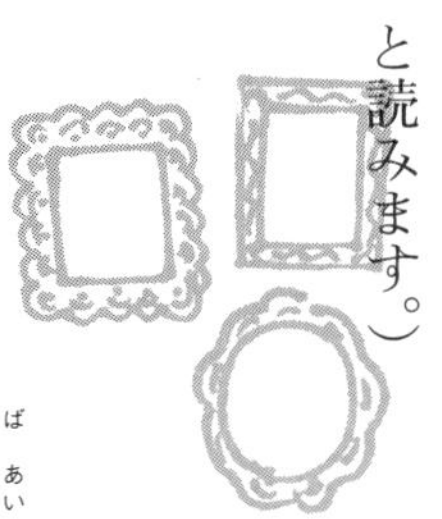

こういった説明方法《せつめいほうほう》でも、読めない漢字があることはもちろんあります。その場合《ばあい》は、辞書《じしょ》をひいて調べるか、それとも、漢字の読みはわからなくてもいいから先にすすむかを、ぼくに尋《たず》ねてほしいんですね。

実際《じっさい》、大半のボランティアさんはそのようにしてくれます。ちゃんと読みが知りたいこともあるけれど、読みなんてわからなくてもいいから、少しでも先に読みすすめたいっていうこともありますから。

対面読書というのは時間が決められています。一単位《たんい》がだいたい二時間で、一人のボランティアさんが、途中《とちゅう》短い休憩《きゅうけい》をはさみながらこの二時間を読み通します。図書館にもよりますが、一日最大《さいだい》六時間くらいの利用《りよう》が可能《かのう》です。

二時間とか六時間というと、長く感じられるかもしれませんが、黙読《もくどく》とくらべ、音読はずっと時間がかかりますからね。二〇〇五年に話題となった村上龍《むらかみりゅう》さんの小説『半島を出よ』の上巻《じょうかん》は、四六判《しろくばん》で四三〇ページある本ですが、ある図書館の制作《せいさく》した録音《ろくおん》図書（本を朗読《ろうどく》してカセットテープやCD-ROMに録音《ろくおん》したもの）では、総《そう》時間数が十六時間十分となっていました。対面読書の場合《ばあい》、途中《とちゅう》に休憩《きゅうけい》をはさんだり、漢字を確認《かくにん》したりしますから、実際《じっさい》にはもっと時間を要《よう》するかと思います。

ともあれ、時間は貴重《きちょう》です。漢字の読みなんてどうでもいいから、少しでもページをすすめてくれ、ということは多いんですね。

あなたも、本を読んでいて、漢字の読《よ》み仮名《がな》がわからないときがあるでしょ。でも、いつもいつも漢和辞典《かんわじてん》をひいたりはしないんじゃありませんか。漢字の読みなんて、一つ二つわからなくても、文意をとるのにさしつかえはありませんから。

ところが、これが通じない人がいるんですね。必《かなら》ず辞書《じしょ》をひくんです。それも、電子辞書《でんしじしょ》とかじゃありませんよ。紙の辞書《じしょ》ね。対面読書のための部屋《へや》には、その手の辞書類《じしょるい》が備《そな》え付《つ》けてあるんです。それを必《かなら》ずひく。

慣《な》れた人でも、辞書《じしょ》をひくにはそれなりに時間がかかります。長ければ二分三分とかかることもある。ぼくとしてはいらいらするわけです。この時間に、何行かでも先に読みすすめてくれればいいのに。

そのことを口にもします。「せっかくですけど、先を読んでいただけますか」と。

もちろん、ここで、ぼくの要望《ようぼう》を聞き入れてくれる人もいます。いや、最初《さいしょ》の段階《だんかい》でこちらの希望《きぼう》を聞き忘《わす》れて、辞書《じしょ》をひきはじめた人でも、たいていは、この時点で気づいてくれるんですね。

本を読む主体はぼくであり、朗読者《ろうどくしゃ》はあくまでそれをサポートしているだけなのだから、読み方については可能《かのう》な限《かぎ》り、サービスの利用者《りようしゃ》であるぼくの意思を尊重《そんちょう》すべきだと。おそらく、ボランティアの養成過程《ようせいかてい》でも、そうしたことは教えられていると思います。

ところが、それがわからない人がいるんですね。とにかく、すぐに辞書《じしょ》をひく。ぼくが、「すみませんが、辞書《じしょ》は結構《けっこう》ですから先に……」と言いかけると、「まあまあ、遠慮《えんりょ》せずに」とさえぎってひきつづける。誰《だれ》も遠慮《えんりょ》なんかしとらんっちゅーねん！

たぶん、この人の頭のなかでは、わからない漢字をちゃんと調べて、読みを確認《かくにん》することが、「正しい」サービスということになっているんでしょうね。相手もそれを求《もと》めている、だから断《ことわ》るとしたら遠慮《えんりょ》からだ、ということなのでしょうか。こちらからすれば、たまったもんじゃありません。

もし、「自分は相手のことがわかっていないんだ」ということがわかっていれば、また、少なくとも、「全部はわかっていないんだ」ということがわかってさえいれば、こういった独《ひと》りよがりな押《お》しつけは行われないはずです。

この人の場合《ばあい》、対面読書という場面で、ボランティアがとるべき基本的態度《きほんてきたいど》をよく理解《りかい》していなかったわけですが、基本的《きほんてき》な姿勢《しせい》や知識《ちしき》・技術《ぎじゅつ》について正しく理解《りかい》していればそれでよい、ということではありません。理解《りかい》していても、おなじような結果《けっか》となりうることは十分に考えられます。

問題は、「向き合うべきは誰《だれ》なのか」ということなんですね。本で読んだり、授業《じゅぎょう》で聞いたり、経験《けいけん》を積《つ》むなかから得《え》られるものはもちろんたくさんあります。けれど、向き合うべきは、あくまで、他《ほか》ならぬ目の前にいる「その人」なんです。教科書でも、先生の話でも、ボランティアのマニュアルでも、過去《かこ》の経験《けいけん》でもない。

もし、あなたが障害者《しょうがいしゃ》についてのなにがしかの知識《ちしき》をもっていたとしても、それはいったん、横っちょに置《お》いたほうがいいかもしれません。もっている知識《ちしき》は参考程度《さんこうていど》にとどめておいて、目の前にいるその人のことばに耳を傾《かたむ》け、その人のふるまいをよくながめてみることです。

知識《ちしき》でもって現実《げんじつ》を解釈《かいしゃく》するのではなく、現実《げんじつ》と照《て》らすなかで、知識《ちしき》に修正《しゅうせい》を加《くわ》えていくことが大切です。そのためには、「自分はわかっていないんだ」ということをわかっている必要《ひつよう》がある。でなければ、虚心《きょしん》に目の前の現実《げんじつ》とは向き合えませんから。

この本についてもおなじですよ。参考《さんこう》にはしてほしいけれど、本当にぼくの言っていることが正しいのかどうかは、あなた自身が、これから経験《けいけん》する現実《げんじつ》と照《て》らして、確認《かくにん》してみてください。

第5章 簡単《かんたん》であり、難《むずか》しくもあること

席《せき》を探《さが》していますか

人と接《せっ》する際《さい》になにより大事なのは、誰《だれ》にもあてはまるとは限《かぎ》らない事前の知識《ちしき》をため込《こ》むことではなく、いま目の前にいるその人をしっかり見据《みす》えることです。「その人」が障害者《しょうがいしゃ》であろうが健常者《けんじょうしゃ》であろうが、そのことになんら変《か》わりはないのです。

前もって得《え》た知識《ちしき》がまったく役に立たない、というわけではありません。事前の知《ち》識《しき》が、目の前に展開《てんかい》される現実《げんじつ》を解釈《かいしゃく》するためのヒントになることはあるでしょう。

けれど、相手の話すことばや、見せるふるまいの意味を、すべて自分の知る知識《ちしき》の枠《わく》のなかだけで理解《りかい》しようとするのは禁物《きんもつ》です。そんなことをしたら、知識《ちしき》は現実《げんじつ》を理解《りかい》するための道具から、現実《げんじつ》をねじまげる障害物《しょうがいぶつ》へと反転してしまいます。

自分のもっている知識《ちしき》を絶対的《ぜったいてき》に正しいものだとは考えないで、あくまで参考《さんこう》として利用《りよう》するといった柔軟《じゅうなん》な姿勢《しせい》こそが肝要《かんよう》でしょう。

とはいえ、知識《ちしき》を絶対化《ぜったいか》しない、「自分にはわかっていないことがあるんだ」ということをしっかり理解《りかい》しておくことが必要《ひつよう》だと言われても、具体的《ぐたいてき》にどうしたらいいのか、ちんぷんかんぷんかもしれませんよね。

唯一《ゆいいつ》の解答《かいとう》があるような問題ではないので、説明《せつめい》するのはなかなか難《むずか》しいのですが、たとえば、こういった感じでイメージしてもらえればいいかと思います。

前の章でぼくは、電車のなかで空席《くうせき》をうまく見つけることができなくて困《こま》ることがあると書きました。「そんなことは簡単《かんたん》に想像《そうぞう》がつくよ」という人もいるかもしれません。でも、もしこれまでは知らずにいたとしても、この本を読むことで、あなたは、目が見えないとそうした場面で困《こま》ることがあるんだ、という事実を知ったわけです。

これはひとつの知識《ちしき》ですよね。知識《ちしき》をもつことによってあなたは、席《せき》につくわけでもなく車内をうろうろしている視覚障害者《しかくしょうがいしゃ》がいるのを見かけたとき、「もしかして空《くう》席《せき》を探《さが》しているのかな?」と想像《そうぞう》することができるようになったわけです。

ただ、ここで注意してほしいのは、それがまだ「想像《そうぞう》」でしかないという点です。

空いている座席《ざせき》を探《さが》しているという可能性《かのうせい》は高いかもしれませんが、本人に確認《かくにん》したわけではありませんから、まちがっているかもしれません。

それに、空席《くうせき》を探《さが》しているという点は仮《かり》にまちがいなかったとしても、サポートを求《もと》めているかどうかは、これまたわかりませんよね。ぼくなら、そういうときは手を貸《か》してもらえればなと思うけど、「おせっかいはしないで！」と言う人もいるかもしれませんから。

ですから、当人の意思も確認《かくにん》せず、とにかく空いてる席《せき》に連《つ》れて行くようなことをしてはまずいわけです。事前の知識《ちしき》は、視覚障害者《しかくしょうがいしゃ》が車内をうろうろしていることの理由について解釈《かいしゃく》する参考《さんこう》にはなるでしょうけど、あなたに答えを与《あた》えてくれるものではありません。

まぁ、このケースの場合《ばあい》は、事前の知識《ちしき》なんかなくても、理由を想像《そうぞう》することは比較的容易《かくてきようい》でしょうけどね。ケースによっては、事前に知識《ちしき》をもっていることで、状況《じょうきょう》の理解《りかい》がしやすくなることもあります。だから、知識《ちしき》を身につけることに意味がないわけではないと書いたわけです。
だけど、繰《く》り返《かえ》しになりますが、たとえ知識《ちしき》をもっていたとしても、できるのはあくまで想像《そうぞう》にすぎません。一定の根拠《こんきょ》はあったとしても、想像《そうぞう》は想像《そうぞう》であり、「たぶんそうだろうな」「可能性《かのうせい》は高いだろうな」ということが言えるだけです。

その点は、事前の知識《ちしき》をもっていない場合《ばあい》とあまり変《か》わりません。せいぜい可能性《かのうせい》の度合いが高まる程度《ていど》です。まちがいのない確《たし》かな答えが得《え》られるわけではありません。そのことをわかっていないと、知識《ちしき》は逆《ぎゃく》に迷惑《めいわく》な行為《こうい》へと人を導《みちび》いてしまいます。

では、わからないからということで、なにもしないのがいいのでしょうか。それもちがうように思います。もし、電車のなかで視覚障害者《しかくしょうがいしゃ》がいることに気づいて、あなたの目に、その人が空席《くうせき》を見つけられずにいると映《うつ》ったなら、あるいは、そこまでわからなくても、なにか困《こま》っているようだと思えたなら、声をかけてみてください。

「席《せき》を探《さが》してますか？」でも「手伝《てつだ》いましょうか？」でもなんでもかまいません。本当に困《こま》っているのかどうか、困《こま》っているとしたらなにを困《こま》っているのか、本人に確認《かくにん》するのが一番確《たし》かです。

よけいなお世話？

本当なら、必要《ひつよう》なときには障害者《しょうがいしゃ》の側《がわ》から援助《えんじょ》を求《もと》めるのが筋《すじ》ではあるかと思います。事実、車いすの人たちのなかには、そのような意見をもつ人が多いようです。ただ、障害《しょうがい》の種類《しゅるい》やその人の性格《せいかく》によっては、なかなかそれができないこともあるんですよね。

車いすの人たちとちがって、目が見えないと、周《まわ》りにどんな人がいるかよくわからないでしょ。あなたが人に道を尋《たず》ねたりする場合《ばあい》なんかも、尋《たず》ねる相手を選《えら》んでいると思うんですよね。なるだけ親切そうな人とか、近辺《きんぺん》の地理に明るそうな人とか。見えないと、それができない。これ、結構不安《けっこうふあん》ですよ。おっかない人だったらどうしよう、つっけんどんにされたらどうしよう……、とビビリのぼくなんかは及《およ》び腰《ごし》になっちゃう。

もちろん、視覚障害者《しかくしょうがいしゃ》のなかにも、通りすがりの人やおなじ電車に乗り合わせた人に、積極的《せっきょくてき》にサポートを依頼《いらい》できる人はいます。逆《ぎゃく》に車いすの人たちのなかにも、そういうのは苦手だという人がいることでしょう。なかには、しゃべる機能《きのう》にも障害《しょうがい》をもっている人もいますしね。

ともあれ、健常者《けんじょうしゃ》のほうから尋《たず》ねてもらうことがあってもいいんじゃないでしょうか。ちょっと様子を観察《かんさつ》してみて、「もしかして困《こま》っているのかな?」と思ったら、とりあえずその人に尋《たず》ねてみてください。

ただし、障害《しょうがい》をもっているからといって、いつもいつも困《こま》っているというわけではありません。ですから、この「ちょっと観察《かんさつ》してみて」っていう部分は注意してくださいね。困《こま》っているかどうかについて、確実《かくじつ》に見極《みきわ》める必要《ひつよう》はありません。そんなことはそもそもできない旨《むね》をお話ししてきました。

つまり、ちょっと様子をうかがってみて、「困《こま》ってるようには見えないな」という場合《ばあい》は除外《じょがい》してくださいね、ということです。それ以外《いがい》で、「困《こま》っているかもしれない」と思えるときはもちろん、「どっちかわからない」というときは、相手に尋《たず》ねてみてください。

実際《じっさい》にその人が困《こま》っていたなら、必要《ひつよう》なサポートをお伝《つた》えするでしょうし、困《こま》っていなかった場合《ばあい》はその旨《むね》をお答えすると思います。

たとえ想像《そうぞう》がはずれていて、相手がぜんぜん困《こま》っていなかった場合《ばあい》でも、恥《は》じることはまったくありませんよ。先に記したとおり、本人に確認《かくにん》してみるまでは、本当のところはわからないんだから。「あっ、そっか。大丈夫《だいじょうぶ》なんだな」と納得《なっとく》すればいいだけです。

とはいえ、障害者《しょうがいしゃ》にもいろいろな人がいます。なかには、サポートが必要《ひつよう》かどうか尋《たず》ねただけなのに、「よけいなお世話だ」といわんばかりの態度《たいど》をとる人もいるかもしれません。そういうときは、はずれくじを引いたくらいに思ってください。

もし、あなたが相手の意思を確認《かくにん》することなしに、勝手に手助けを押《お》しつけたのでなく、ただ「手助けが要《い》るか要《い》らないか」を尋《たず》ねただけで「よけいなお世話」という態度《たいど》をとられたのなら、あなたは落《お》ち込《こ》んだり、反省《はんせい》したりする必要《ひつよう》はありません。おかしいのは、人と接《せっ》する際《さい》の最低限《さいていげん》の礼儀《れいぎ》すら心得《こころえ》ていない相手のほうですから。

障害《しょうがい》の種類《しゅるい》や程度《ていど》によっては、礼儀《れいぎ》を身につけることそのものが困難《こんなん》な場合《ばあい》もあるかとは思います。この場合《ばあい》は仕方ありませんよね。羽のないぼくやあなたが、空を飛《と》ぶことができないのとおなじですから。「飛《と》べ！」と命ずるのは無茶《むちゃ》な話です。けれど、そうした場合《ばあい》を除《のぞ》けば、礼儀《れいぎ》知らずに障害者《しょうがいしゃ》も健常者《けんじょうしゃ》もありません。援助《えんじょ》の必要《ひつよう》がないのなら、「大丈夫《だいじょうぶ》ですよ」「結構《けっこう》ですよ」とおだやかに伝《つた》えればすむ話です。

少し突《つ》っ込《こ》んだ話をすると、なにを「礼儀《れいぎ》正しい」とするかは、時代や社会、所属《しょぞく》する階級《かいきゅう》や民族《みんぞく》などによってちがってきます。ある文化のもとでは礼儀《れいぎ》にかなったふるまいとされるものが、別《べつ》の文化のもとでは失礼《しつれい》なものと見なされることもめずらしくありません。

とはいえ、現在《げんざい》の日本社会を念頭《ねんとう》に置《お》いた上で、ここでお話している事柄《ことがら》についてだけ言うならば、そのようなちがいを考慮《こうりよ》しなくてはならない場面《ばめん》はまれにしかないかと思います。ですから、この件《けん》についてはとりあえず横に置《お》いておきましょう。

確《たし》かに、不要《ふよう》な手助けを「押《お》しつけられる」のはよけいなお世話ですし、ぼくだってごめん被《こうむ》りたいと思います。でも、「手助けが必要《ひつよう》かどうか」を尋《たず》ねるのはよけいなお世話ではありませんからね。両者は似《に》ているようでいて、まったく非《ひ》なるものです。

ホームから落っこちたというようなケースであれば、観察《かんさつ》したり、確認《かくにん》したりするまでもなく、なんらかの手助けが必要《ひつよう》な状況《じょうきょう》であることが誰《だれ》にもわかるでしょう。だけど、多くの場《ば》合《あい》はそうではないわけです。当人に尋《たず》ねてみなくてはわからない。

このことは、尋《たず》ねる側《がわ》だけでなく、尋《たず》ねられる側《がわ》もしっかり理解《りかい》しておいたほうがいいでしょう。「本当にサポートが必要《ひつよう》なときにだけ声がかかる」といったような都合のいいことを期待するのは、非現実的《ひげんじつてき》ではかげた話です。

一緒《いっしょ》に笑《わら》い合《あ》えること

これまで話してきた例《れい》は、偶然《ぐうぜん》そこに居合《いあ》わせただけの人、初対面《しょたいめん》の人との関係《かんけい》についてのものでしたが、友だちや恋人《こいびと》、家族といった間柄《あいだがら》ではどうでしょうか。初《はじ》めて接《せっ》する相手とちがって、友だちや恋人《こいびと》や弟やおかあさんのことについては、既《すで》にいろいろなことを知っていますよね。つきあいの長い相手なんかだったりすると、わからないことなんてないようにも思えます。

確《たし》かに、つきあいが長かったり、関係《かんけい》が親密《しんみつ》であるということは、そのぶんいろいろな場面に出くわし、互《たが》いのいろいろな面を見てきたことを意味します。初対面《しょたいめん》の人とちがって、相手がいまなにを感じているのか、どういったことを欲《ほっ》しているのかも、かなりよくわかるかもしれません。

たとえば、こんなことがありました。

親友と遊びに行った帰りの話です。彼《かれ》には障害《しょうがい》はありません。別《べつ》の方面に帰る彼《かれ》に見送られるかたちで、ぼくはひとり改札《かいさつ》を入りました。

その直後です。改札《かいさつ》を抜《ぬ》けてすぐのところにあった太い柱に、ぼくは見事にゴッンとぶつかってしまいました。真正面から柱に頭突《ずつ》きをくらわせたかたちです。痛《いた》かった。目から火花が飛《と》びました。お星様キラキラ状態《じょうたい》です。全盲《ぜんもう》でもなぜか見えるんですね。

そのとき、うしろから大きな笑《わら》い声《ごえ》が聞こえてきました。親友の声です。やつめ、しっかり見ていたようです。すぐ直後に、「大丈夫《だいじょうぶ》か？」とも声をかけてはくれたんだけれど、その声にもまだ笑《わら》いが含《ふく》まれています。

「こんにゃろう！」でしょ？　目が見えないんだから仕方ないじゃねえか、笑《わら》うんじゃねえってーの、このタコ！　当然《とうぜん》、「ぼけっ！　笑《わら》うな!!」と返しましたよ、ぼくも。

でもね、ぼくのその声にも笑《わら》いがまじってたんですよね。実は、本当は腹《はら》なんて立ってなかったんです。罵倒《ばとう》を投げ返したのは、いわば戯《たわむ》れ、ことばのキャッチボールを楽しんだだけです。

ケガをするほどじゃなかったとはいえ、事故《じこ》に遭遇《そうぐう》した障害者《しょうがいしゃ》を笑《わら》うなんて、世間では非常識《ひじょうしき》な行為《こうい》ですよね。でも、このときのぼくと彼《かれ》にとっては、それはまったく非常識《ひじょうしき》なことなんかではありませんでした。むしろ、すごく適切《てきせつ》なふるまいだったんじゃないかと思うくらいです。

というのも、柱にぶつかったりするのって、当人にとっては結構恥《けっこうは》ずかしいんですよね。「見えないんだから仕方ないだろう」と思われるかもしれませんし、事実、そのとおりではあるんだけれど、なんだか失敗《しっぱい》をしたように感じられるんですよね。たとえ不可抗力《ふかこうりょく》であったとしても、人前ですっころんだりしたときって、あなたも恥《は》ずかしかったりしませんか？

そういうとき、そばに仲《なか》のいい友だちがいて、ことばを交《か》わすことができたら、気《き》恥《は》ずかしさもちょっとはやわらぐんじゃないでしょうか。自分の性格《せいかく》にもよるし、その友だちとの関係《かんけい》にもよるから、必《かなら》ずそうだとは言えないかもしれませんけど。

少なくとも、ぼくと親友の場合《ばあい》はそうだったんですね。彼《かれ》が笑《わら》い、それに悪罵《あくば》を投げ返すことで、ぼくがおぼえる気恥《きは》ずかしさはずいぶんと小さくなったと思います。

だけど、こうした関係《かんけい》は、いつでも、誰《だれ》とのあいだにでも成《な》り立《た》つというものではありませんよね。もし、見ず知らずの人に笑《わら》われたのだとしたら、「他人の不幸《ふこう》を笑《わら》いやがって！」と、ぼくだって本気で腹《はら》が立ったでしょうし、たとえ相手がおなじ親友だったとしても、こっちが額《ひたい》から血を流しているのに笑《わら》っていたとしたら、ただのバカでしかありません。

たとえ世間の常識《じょうしき》とは異《こと》なっていたとしても、ここで自分が笑《わら》っても、ぼくが腹《はら》を立てたり傷《きず》ついたりしないだろうことを予想できるからこそ、彼《かれ》は遠慮《えんりょ》することなく大きな声で笑《わら》ったわけです。そしてその予想はあたっていた。

少しことばを変《か》えるなら、彼《かれ》とぼくとのあいだには、互《たが》いに、どんなときにどんなことをすれば傷《きず》つき、傷《きず》つけられるかについての合意ができあがっていたということができるでしょう。

身がまえなくても大丈夫《だいじょうぶ》

けれど、ぼくと友だちのそうした合意は、一朝一夕《いっちょういっせき》にしてできあがったものではありません。知り合った最初《さいしょ》は、お互《たが》いについてわからないことばかりだったと思います。あるときは経験《けいけん》のなかから、あるときはことばにすることで、そのひとつひとつを「わからないこと」から「わかること」へと変《か》えていったわけです。

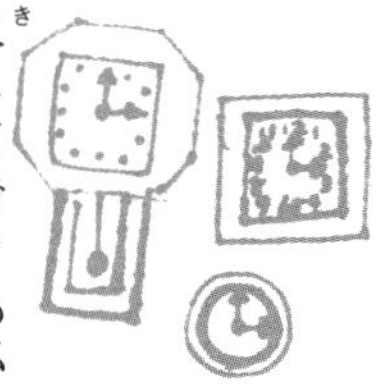

しかも、そのプロセスは必《かなら》ずしも直線的《ちょくせんてき》なものではなかったように思います。お互《たが》いわかった気になって勘違《かんちが》いをしてしまい、傷《きず》つけたり傷《きず》つけられたりしたことだってあったはずです。

これからだって、ぼくと彼《かれ》とのあいだにそういうことはあるかと思います。「わかったこと」もたくさんあるけれど、まだまだ「わからないこと」も多いわけですから。わかったつもりになったことでも、場所や場面がちがえば、「わからないこと」に逆《ぎゃく》戻《もど》りしてしまうことだってあるんじゃないかな。

そのことを忘《わす》れて、親友という関係《かんけい》の上にあぐらをかいていたら、大失敗《だいしっぱい》をやらかしてしまうことになるでしょう。相手が恋人《こいびと》や家族の場合《ばあい》でもおなじですね。「わかっている」と思っている人ほど、わかっていないということはよくある話です。傷《きず》つけ合《あ》うことなく互《たが》いを知ることができたなら、それに越《こ》したことはないでしょう。だけど、必要以上《ひつよういじょう》に憶病《おくびょう》になっていては、「わからないこと」はいつまでたっても「わからないこと」のままだし、関係《かんけい》を深めることもできはしません。

慣《な》れない人は、障害者《しょうがいしゃ》を前にすると、つい構《かま》えてしまいがちです。障害者《しょうがいしゃ》のことを、必要以上《ひつよういじょう》に「弱い存在《そんざい》」「傷《きず》つきやすい存在《そんざい》」として描《えが》き出《だ》そうとする昨今《さっこん》の風潮《ふうちょう》が、これに拍車《はくしゃ》をかけているかもしれません。

だけど、そんなに構《かま》える必要《ひつよう》はないんですよね。健常者《けんじょうしゃ》どうしだって、最初《さいしょ》はわからないことばかりです。

障害者《しょうがいしゃ》といったって、そんなになにからなにまで健常者《けんじょうしゃ》とちがっているわけではありません。「みんなおなじ人間なんだから」といった言い方は、実際《じっさい》に存在《そんざい》するちがいまでをも覆《おお》い隠《かく》してしまう気がしてぼくはあまり好《す》きではありませんが、ちがっている部分より共通《きょうつう》する部分のほうが多いだろうことは、まちがいのない事実です。

確《たし》かに、健常者《けんじょうしゃ》どうしであれば、最初《さいしょ》から「わかっていること」として確認《かくにん》の作業を省略《しょうりゃく》できることでも、相手が障害者《しょうがいしゃ》である場合《ばあい》だと一からはじめなければならない、ということはあるでしょう。

けれど、それは無限《むげん》に存在《そんざい》する「わからないこと」にプラスαでいくつかをつけたすだけのことです。健常者《けんじょうしゃ》どうしの場合《ばあい》は「わからないこと」はゼロで、相手が障害《しょうがい》者《しゃ》の場合《ばあい》だけ「わからないこと」がある、といった話ではありません。

それどころか、健常者《けんじょうしゃ》どうしといったって、八十歳《さい》のおじいさんとあなたとのあいだにある「わからないこと」の数は、車いすの同級生とあなたとのあいだにあるそれよりも、ずっとずっと多いかもしれません。

ぼくがこれまでに知り合ってきた人たちのなかには、障害《しょうがい》をもった人たちがたくさんいます。けれど、圧倒的《あっとうてき》多数は障害《しょうがい》のない人たちです。そして、そのうちの何人、何十人かとは友だちになったり、恋人《こいびと》としてつきあったりしてきました。一人とだけですが、結婚《けっこん》をしていたこともあります。

彼《かれ》ら、彼女《かのじょ》らのほとんどは、ぼくと出会うまで、視覚障害者《しかくしょうがいしゃ》と話す機会《きかい》など一度もなかった人たちです。視覚障害者《しかくしょうがいしゃ》どころか、どんな障害《しょうがい》であれ、障害者《しょうがいしゃ》と名のつく人と接《せっ》したことなどまったくなかった人のほうが多いかもしれません。

けれど、そのことでぼくが困《こま》ったというような記憶《きおく》はありません。時にお互《たが》いとまどったり、失敗《しっぱい》をすることはあっても、とりたてて問題となるようなこともなく、友だちとして、パートナーとしての関係《かんけい》を築《きず》いてこれたように思います。

そりゃ、お互《たが》い人間ですからね。相手によっては、相性《あいしょう》が合わずに困《こま》ったり、喧嘩《けんか》別《わか》れをしてしまったことだってありますよ。でも、そういうことだってあってあたりまえですよね。出会ったすべての人と仲《なか》よくなったり、ずっとうまくつきあっていくことなんて、できっこないんだから。相手が障害者《しょうがいしゃ》であろうが健常者《けんじょうしゃ》であろうが、そのあたりに変《か》わりはありません。

他人のことはよくわからないんだ、だから、失敗《しっぱい》を繰《く》り返《かえ》しつつもひとつひとつ確《たし》かめていくんだ。そのような、人と接《せっ》する際《さい》のごくあたりまえの態度《たいど》さえ忘《わす》れなければ、障害《しょうがい》をもった人間とつきあっていくことは、とりたてて難《むずか》しいことでも、特別《とくべつ》なことでもないということです。

ひとりとの関係《かんけい》、みんなとの関係《かんけい》

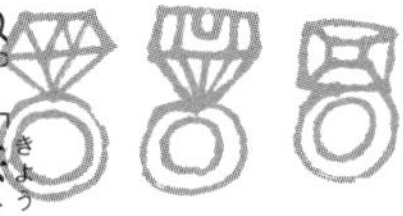

ここまで読んできて、「あれ？」と思った人がいるかもしれませんね。「共生《きょうせい》っていうのは口で言うほど簡単《かんたん》じゃないんだって、一番最初《さいしょ》に言っていたじゃないか。いま

の話だと、わりと簡単《かんたん》なように思えるんだけれど……?」と。

そのとおりです。聞こえのいいことばかりが氾濫《はんらん》する一方で、現実《げんじつ》を冷静《れいせい》に見つめる作業がおざなりにされてきたことを指摘《してき》するところから、この本ははじまっていたはずです。なんだか矛盾《むじゅん》しているように思えるかもしれませんね。

だけど、矛盾《むじゅん》はしていないんですよ。というのも、この章でぼくがしている話は、通りすがりの人であったり、友だちであったりのちがいはあるけれど、どれも一対一の関係《かんけい》についての話なんです。

他方、この本の初《はじ》めで紹介《しょうかい》したエピソードは、「野球」という、もっと大勢《おおぜい》の人がチームとしてかかわる遊びをめぐってのものでしたね。

ちょっと想像《そうぞう》してみてください。あなたには、AさんとBさんという、おなじ程度《ていど》に仲《なか》のいい二人の友だちがいたとします。あなたとAさん、あるいは、あなたとBさんの二人がうまくやっていくことと、あなたとAさんとBさんの三人がうまくやっていくこととでは、どちらがより難《むずか》しいでしょうか。

たぶん、三人が仲《なか》よくやっていくことのほうが難《むずか》しいですよね。どんなに仲《なか》がいいといっても、三人はそれぞれに異《こと》なった性格《せいかく》をしているでしょうし、そのことで関係《かんけい》が破綻《はたん》するほどではないけれど、それぞれが合わない部分だってもっているかもしれません。

人と人とがつきあっていくためには、お互《たが》い、時に自分を抑《おさ》えなくてはなりません。通りすがりの人に道を尋《たず》ねたり、空席《くうせき》まで案内《あんない》してもらう程度《ていど》なら、相手との接点《せってん》自体がそもそも限《かぎ》られていますから、その場で押《お》さえておかなければならない部分はかなり小さくてすむかと思います。せいぜい、初対面《しょたいめん》の人と接《せっ》する際《さい》の、最低限《さいていげん》の礼儀《れいぎ》を守ればいいだけです。

けれど、友だちづきあいをするとなると、人との接点《せってん》は増《ふ》えたり、ずっと大きくなったりしますよね。関係《かんけい》を深めるということは、他《ほか》の人には見せていない面をその人には見せるということでもありますから。

そうすると、時には、趣味《しゅみ》が合わない部分があったり、相手の性格《せいかく》の嫌《いや》な面を垣間《かいま》見《み》たりもすることになるわけです。いっそのこと、全面的《ぜんめんてき》に合わなかったり、合わない部分のほうが多ければ、最低限必要《さいていげんひつよう》なつきあいだけにとどめ、友だちになんてならなければいいだけですから簡単《かんたん》です。

だけど、大半の部分では気が合うんだけれど、ここだけはどうも苦手だ、好《す》きになれないといった場合《ばあい》だと、そういうわけにはいきませんよね。人間、それぞれに個性《こせい》があるわけだから、自分と合わない部分があってもそれはあたりまえのことです。そんなことを言ってたら、誰《だれ》とも親しくつきあうことなんてできやしません。

だから、自分を抑《おさ》えるわけですね。正直言ってその部分は気にくわないのだけれど、そのことについてはとりあえず横っちょに置《お》いておくとか、本当は別《べつ》のやり方がいいと思っているけど、仕方ないので相手のやり方に合わせるとか。

もちろん、なんでもがまんすればいいということではなくて、はっきりと相手に指摘《してき》して態度《たいど》をあらためてもらったり、お互《たが》いが納得《なっとく》できる妥協点《だきょうてん》を探《さぐ》る必要《ひつよう》があることもたくさんあるでしょう。

でも、おなじことは自分についても言えるわけで、相手から指摘《してき》を受けて、それが妥当《だとう》な意見だった場合《ばあい》はあらためる必要《ひつよう》があるし、妥協点《だきょうてん》を探《さぐ》る場合《ばあい》も、ある程度《ていど》自分を抑《おさ》える必要《ひつよう》があることに変《か》わりはありません。

かかわってくる人数が増《ふ》えるということは、そのぶん、自分を抑《おさ》えることをよけいに求《もと》められるということでもあります。

あなたとAさんとの二人だけの関係《かんけい》であれば、あなたとAさんとのあいだに生じた齟齬《そご》だけをなんとかすればすみます。けれど、そこにBさんが加《くわ》わって三人の関係《かんけい》となると、あなたはBさんとのあいだに生じるくいちがいについても対処《たいしょ》しなければなりません。AさんとBさんにも、それぞれおなじことが求《もと》められます。

それでも、まだ三人くらいだったらたいしたことはないかもしれませんね。仲《なか》よくやっていくことも、そう難《むずか》しくはないでしょう。少しずつ難易度《なんいど》は上がっていくけれど、四人、五人、六人くらいでも、それほどではないかもしれません。

だけど、これが十人、二十人、三十人……と増《ふ》えていったらどうでしょう。いつも遊んでいる五人組がうまくやっていくこととくらべ、クラス全体がまとまりをもってやっていくことが難《むずか》しいことは、あなたも経験的《けいけんてき》に知っているのではないでしょうか。一見、うまくまとまっているように見えるクラスでも、なんとなくなじめないと感じていたり、合わせているだけの人はいるものです。

まだ出会ってはいない誰《だれ》かへ

この本の冒頭《ぼうとう》で紹介《しょうかい》した野球のエピソードにしても、もし二人か三人でやっているような遊びだったら、「メンバーの一人が十分に楽しめないのなら、別《べつ》の遊びをしよう」ということで簡単《かんたん》に解決《かいけつ》がついたかもしれません。メンバーの全員がおなじように楽しめる遊びは、たくさんあるでしょうから。

だけど、十人を越《こ》えた集団《しゅうだん》ではそうはいきません。みんなはなんとかしようとゲームのルールを変《か》えてまでしてくれたけど、それでも、ぼくが他《ほか》のみんなとおなじよう

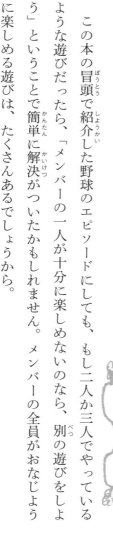

に楽しむことはできませんでした。

人とうまくやっていくためには、時に自分を抑《おさ》えることが必要《ひつよう》になるとぼくは書きました。だとすると、もしかしたらぼくは、おもしろくなくてもがまんして野球を続《つづ》けるべきだったのでしょうか。あるいはその逆《ぎゃく》に、みんなが野球をあきらめ、ぼくも一緒《いっしょ》に楽しめる遊びをすればよかったのでしょうか。

どちらもちがうように思います。どちらをとっても、得《え》るものより失《うしな》うもののほうがはるかに大きいことになってしまいます。

時に自分を抑《おさ》えることと、自分を完全《かんぜん》に殺《ころ》してしまうこととは別《べつ》です。両者の分岐点《ぶんきてん》がどこにあるかをはっきり言うことはできませんが、仲《なか》のいい友だちとつきあうために、部分的《ぶぶんてき》に妥協《だきょう》したり寛容《かんよう》にふるまったりすることと、一切魅力《いっさいみりょく》を感じない相手と無理《むり》してつきあうこととがまったく別《べつ》のことであるのとおなじように、この二つは区別《くべつ》すべきだとぼくは考えます。

かかわりをもつ集団《しゅうだん》の規模《きぼ》が大きくなっていくと、問題はさらに複雑《ふくざつ》になっていきます。

結果《けっか》としてうまい解決策《かいけつさく》は見つからなかったものの、小学校時代のぼくのクラスメイトは、ぼくが仲間《なかま》に入れるように頭をひねってくれました。ぼくのためにルールに変更《へんこう》を加《くわ》えたことで、通常《つうじょう》の野球がもつおもしろさの一部を、彼《かれ》らはあきらめなくてはならなかったかもしれません。通常《つうじょう》のルールで、思いっきりプレイしたほうが、よりスリリングで楽しかったかもしれない。

でも、彼《かれ》らはぼくのためのルールを考え、そのルールでゲームをすすめてくれたわけです。おそらくそれは、「障害者《しょうがいしゃ》を仲間《なかま》はずれにしてはいけない」といった道徳《どうとく》の教科書みたいな発想によるものではなく、「昨日《きのう》まで一緒《いっしょ》に遊んでいた友だちと遊べなくなるのはつまらない」という動機《どうき》にもとづくものだったんじゃないかと思います。

言い方をかえるなら、そこにいたのが障害者《しょうがいしゃ》であったからではなく、そこにいるぼく、友だちであるぼくが障害《しょうがい》をもっていたからこそ、彼《かれ》らはルールの変更《へんこう》を受け入れたのではないでしょうか。

ところが、かかわる人間の数が多くなっていくと、こういった顔の見える関係《かんけい》が前提《ぜんてい》にはなりにくくなっていくのです。

たとえば、駅にエレベーターをつけるにはお金がかかります。そのすべてを鉄道会社が負担《ふたん》するなら運賃《うんちん》に上乗せするかたちで、国や自治体《じちたい》が補助金《ほじょきん》を出すなら税金《ぜいきん》というかたちで、ぼくたちはそのための費用《ひよう》を支払《しはら》わなくてはなりません。

第2章でもお話ししたとおり、最近《さいきん》ではバリアフリーという考え方もかなり普及《ふきゅう》し、設備《せつび》のために自分たちが支払《しはら》った切符《きっぷ》の代金や税金《ぜいきん》の一部が使われることはわるいことではない、と考える人たちも増《ふ》えてはきました。

けれど、それを無駄遣《むだづか》いであるとみなす人だっていないわけではありません。エレベーターの設置《せっち》に賛成《さんせい》している人のなかにも、「自分たちの負担《ふたん》がいまくらいですむのであれば」との条件《じょうけん》をつける人は案外《あんがい》多いのではないかと思います。

よいわるいの判断《はんだん》は別《べつ》として、自分自身も健康《けんこう》で、しかも親しい人間のなかにも駅の階段《かいだん》の昇《のぼ》り降《お》りに不自由《ふじゆう》をおぼえるような人はいない、という人たちのなかに、バリアフリーの問題を他人事としてしか感じられない人がいたとしても、なんら不思議《ふしぎ》ではありません。

エレベーターの設置《せっち》に限《かぎ》らず、目で見、耳で聞き、足で歩く人たちのからだを前提《ぜんてい》にできあがっているさまざまなしくみを、いろいろなからだをもった人たちがいることを踏《ふ》まえたものへとつくりかえていくためには、たいていの場合《ばあい》、なにがしかのコストがかかることとなります。

バリアフリーのための設備《せつび》の設置《せっち》や改築《かいちく》なら、それはお金の負担《ふたん》というかたちをとりますし、直接《ちょくせつ》の人間関係《かんけい》であれば、時に自分を抑《おさ》えて相手とのあいだに妥協点《だきょうてん》を模《も》索《さく》することが求《もと》められます。文字どおりの意味でも、比喩的《ひゆてき》な意味でも、「共生《きょうせい》」は、決して「タダ」ではすすまない、ということです。

共生《きょうせい》が単《たん》なるお題目に終わるのか、現実《げんじつ》のものとなるのか。それは、困《こま》っているさまをいま目《ま》の当《あ》たりにしているわけでもない状況《じょうきょう》で、なおかつ、友だちや家族といった自分にとって大切な人のためだけにではなく、会ったことのない誰《だれ》かのためにも、想像力《そうぞうりょく》をはたらかせて積極的《せっきょくてき》に負《ふ》担《たん》を行える人たちがどのくらいいるのか、そのことに大きく左右されるのではないかとぼくは考えます。

あとがき

多くの人たちが「ふつう」であると見なしている事柄《ことがら》のなかには、前提《ぜんてい》とするものがそもそも偏《かたよ》っているために、一部の人たちに不利《ふり》にはたらいたり、どんなに努力《どりょく》しても決まり事を守ることが困難《こんなん》であるようなものがたくさんあります。

だから、「ふつう」と見なされている事柄《ことがら》について、もう一度じっくり吟味《ぎんみ》し、それがさまざまな特徴《とくちょう》をもつさまざまな人びとの存在《そんざい》を可能《かのう》な限《かぎ》り考慮《こうりょ》したものになっているかどうかを検討《けんとう》したい。その上で、もし偏《かたよ》りが発見されたなら、その解消法《かいしょうほう》について考えていきたいというのが、この本でぼくが主張《しゅちょう》してきたことです。

ここで直接《ちょくせつ》ふれたのは障害者《しょうがいしゃ》と健常者《けんじょうしゃ》との関係《かんけい》についてだけれど、世代や性別《せいべつ》、生まれた場所や民族《みんぞく》、生き方やものの考え方など、その他《ほか》のいろいろな事柄《ことがら》についても、おなじようなことが言えるんじゃないでしょうか。

ただし、「ふつう」なんてくそくらえ、ぶっこわしてしまえ！ といったようなことをぼくは言いたいわけではありません。

確《たし》かに、「ふつう」なんていうものはどこにもない、「上」も「下」も「主」も「従《じゅう》」もなく、すべてがおなじ地平の上で競《きそ》い合《あ》い、また共振《きょうしん》し合《あ》っている関係《かんけい》というのは、実に魅力的《みりょくてき》なイメージではあります。

けれど、残念《ざんねん》ながら、「ふつう」という観念《かんねん》から完全《かんぜん》に自由になることなどぼくたちにはできません。どんなにそこから逃《のが》れることを望《のぞ》んでも、ぼくたちはなんらかのかたちで「ふつう」とつきあっていかざるを得《え》ないのです。

最後《さいご》の章でぼくは、人と交わり、関係《かんけい》を深めていくためには、時に自分を抑《おさ》えることが必要《ひつよう》になる、と書きました。ことばをかえて言うならば、人が人とくらしていくためにはなにがしかのルールが必要《ひつよう》だ、ということになるでしょう。

よっぽどのことがない限《かぎ》り、好《す》き勝手《かつて》にふるまった結果《けつか》がすべてルールにかなったものである、なんていうことはありませんからね。ルールを守るということは、そのまま「時に自分を抑《おさ》える」ということを意味します。

ぼくは自由を愛《あい》します。だから、自由を束縛《そくばく》するルールなんてものは好《この》みません。「時に」といえど、「自分を抑《おさ》える」なんてことも趣味《しゅみ》ではない。

けれど、ぼくが自分の自由を大切にするためには、他《ほか》の人の自由も尊重《そんちょう》しなければなりません。ぼくの自由が他人の自由を侵害《しんがい》するようなことがあってはならないわけです。だって、それを認《みと》めるということは、他人によるぼくの自由の侵害《しんがい》をも認《みと》めることになってしまいますから。

そうすると、最低限《さいていげん》のルールはどうしても必要《ひつよう》となってくる。そして、ルールのあるところには、ルールにかなうもの、つまり「ふつう」であるものと、ルールからはずれたもの、要《よう》するに「ふつう」ではないものが生まれてしまいます。ジレンマです。

だからこそ、ぼくたちはなるだけフェアなルールづくりをめざさなくてはならないんです。ルールから完全《かんぜん》に逃《のが》れることができないのなら、せめてそのルールを、この社会に生きるすべてのメンバーにとってできる限《かぎ》り公正《こうせい》なものにしていくしかありません。どこまで可能《かのう》かはわからないけれど、ともすればすぐに逃《に》げ去《さ》ろうとする「自由」を、ぼくたちが少しでも自分の手元に残《のこ》しておく方法《ほうほう》は、それしかないんですから。

二〇〇六年一月　倉本智明《くらもとともあき》

追補

アイデンティティ、大切だけどやっかいなもの

もうひとつ、一緒《いっしょ》に考えたいこと

本書『だれか、ふつうを教えてくれ！』の最初の版《はん》が出て十七年以上の月日が経《た》ちました。法律が改正《かいせい》されたり、人びとの意識にちょっぴりの変化が見られたりして、取り上げた課題《かだい》のいくつかにはほんの少しながら改善《かいぜん》が見られたりもしました。けれど、社会の変化が思わぬ結果をもたらし、むしろ問題をより複雑にしたり、後退させたりしたんじゃないかと思われる事態《じたい》も生じています。まだ、こんなことがまかり通っているのかと、がっくりすることもしばしばです。もともと長い時間的射程《しゃてい》でもって捉《とら》える必要のあるテーマを扱《あつか》っていましたから、そのこと自体にぼくはあまり悲観《ひかん》も楽観《らっかん》もしていません。個々の問題は問題としてそれぞれに検討《けんとう》し、対処策《たいしょさく》を講《こう》じる必要がありますが、そのたびに一喜一憂《いっきいちゆう》していたのでは身がもちません。

もちろん、当該《とうがい》問題の渦中《かちゅう》にいる本人が悩《なや》み、ときにへこたれてしまったりするのはあたりまえです。だれもそのことを責《せ》めたり、もっと強くあれなどと偉《えら》そうなことを言うことはできません。ぼくだって、いまもいくつかの厄介事《やっかいごと》に直面し、結構へこんだり、それでもやはりなんとかなるかも……、と希望《きぼう》をもちなおしたりと、波《なみ》にゆさぶられっぱなしです。でも、ぼくがいま、もみくちゃになってるここだけが世界のすべてじゃないんですよね。たまに波の瀬《せ》に乗っかった折《お》りに偶然視野《ぐうぜんしや》に入った先には、オレンジがたわわに実《みの》る緑《みどり》の丘《おか》が見えたりもする。すぐに泳《およ》ぎつけるかどうかはわからないけど、あの丘は、ぼくを翻弄《ほんろう》しうねるこの海の延長線上《えんちょうせんじょう》にある。そのことをぼくは知っているし、あなたにも知っていてほしい。

この本を増補版《ぞうほばん》としてあらためて上梓《じょうし》するにあたり、どういったことについて書き加えるのがふさわしいかといろいろ考えました。これまでの版も、ぼくが伝えたいことと、読者であるあなたと一緒に考えたいことを、コンパクトながらまとまったものに仕上げられたと思っています。ただ、もうひとつだけ、テーマの追加《ついか》を許《ゆる》されるのだとしたら、障害とアイデンティティをめぐる問題について考えてみたいと思うのです。

あいでんてぃてぃってなに？

あなたはアイデンティティということばを読んだり聞いたりしたことがあるでしょうか。知らんよ、って方もいるでしょう。なんの問題もありません。当然《とうぜん》知ってるよ、って人もいるでしょうね。そうかもしれません。コンビニで買物《かいもの》をしたり、友だちとSNSでやりとりする場面ではあまり顔を出さないけれど、ちょっと背伸《せの》びした本に手を伸ばしたり、硬《かた》めのメディアなどに接《せっ》しているとたまに出くわすことばです。アイデンティティには「同一性《どういつせい》」「自己《じこ》同一性」といった訳語《やくご》が当てられることがあります。ただ、これらの語は必《かなら》ずしもアイデンティティということばが指《さ》し示《しめ》す内容を適切《てきせつ》に表現しえているとは言い難《がた》く、むしろ、「同一」といったことばがもつ一般的《いっぱんてき》なイメージに引きずられてその意味を偏《かたよ》ったかたちで伝えかねないものです。そのためでしょうか、今日では、あえてほかの語におきかえることはせず、「アイデンティティ」とそのままカタカナ表記することが一般的《いっぱんてき》となっているようです。

では、アイデンティティとはどのような内容を指し示すことばなのでしょうか。論者によってその捉《とら》え方や力点の置きどころはさまざまですが、ここではさしあたり、以降《いこう》の話に必要な範囲《はんい》でということで、つぎのように定義《ていぎ》しておきたいと思います。

アイデンティティとは、「自分とは何者か?」という問いへの回答《かいとう》である。

これがここでの定義です。この場合の「回答」は複数形《ふくすうけい》であり、また正解としての「解答」でもありません。「自分とは何者か?」という問いに対し、人は必ず複数の答をもっていますし、どの答をもつことが正しくてどれがまちがっているといったようなこともありません。

たとえば、ぼくは、自分が視覚障害者であるというアイデンティティをもっていると同時に、男性であるというアイデンティティや大阪人であるといったアイデンティティティももっています。あるいは、自分は非常《ひじょう》におしゃべりである、とか、なまけ者である、といった自己認識《じこにんしき》ももっています。これらはすべてぼくのアイデンティティを構成する一部であり、さらにもっとたくさんのものをも含《ふく》めて、そうした自己認識のセットがぼくのアイデンティティの総体《そうたい》ということになります。文脈《ぶんみゃく》によって、出てくる答はその都度異《つどこと》なるでしょう。障害に関《かか》わる話をしている場面で「あなたのアイデンティティは？」と問われれば、「障害者です」「視覚障害者です」といった答になるでしょうし、性《せい》に関係する話題のなかでなら、たとえば「男性です」とか「異性愛《いせいあい》者《しゃ》です」とか「うーん、よくわからないなあ…」といったかたちになるでしょう。これらすべてが、その人のアイデンティティということになります。

ところで、ぼくは右の文中で「自己認識」ということばを使いましたが、アイデンティティは決して個人の心のなかに閉じられたものではありません。自分が何者であるのかという問いへの回答、自分自身をめぐる認識は、社会との交渉《こうしょう》のなかでかたちづくられ、また変化していくものです。

たとえば、「自分はよい子だ」という自己認識をもっている子どもがいたとしましょう。そのような認識はいったいどこから来るのでしょうか。ある日いきなり「ぼくはよい子だ」と思い立ったりしたわけではないでしょう。宗教的《しゅうきょうてき》な悟《さと》りや啓示《けいじ》の類《たぐい》については知りませんが、通常《つうじょう》、ぼくたちがそのようなかたちで自己に関する認識を得《え》ることはありません。「○○ちゃんってよい子だね」といった周囲《しゅうい》の人たちのことばを耳にしたり、本やテレビのなかにある「よい子」の像《ぞう》と自分との共通性を発見するなかから、「自分はよい子だ」という認識はかたちづくられていくのです。外部からの定義が自動的にその人のアイデンティティを決定するわけではありませんが、かといって、自分が自由に定義できるものでもない。その証拠《しょうこ》に、「よい子だ」という周囲からの承認《しょうにん》を失《うしな》い、「以前は○○ちゃんもよい子だったのにねぇ」などと言われるようになった子どもは、「自分はよい子だ」というアイデンティティにゆらぎを感じるようになることでしょう。そのことに失望するか、逆に「よい子」などという息苦《いきぐる》しい檻《おり》から抜け出せたことに安堵《あんど》するかはまた別の次元《じげん》の話です。

繰《く》り返します。認知《にんち》に関わり特定の機能的制約《きのうてきせいやく》がある場合など、例外もなくはないかもしれませんが、通常、アイデンティティとはそのように外部との交渉のなかで社会的に構築《こうちく》されるものです。たんなる個人の心の問題ではない。このことは、障害とアイデンティティという主題を考える上で、絶対に見落《みお》としてはならない点です。

話を少し前に戻《もど》します。ぼくは、「自分とは何者か?」という問いへの回答は複数存在すると書きましたが、そこには、互《たが》いに相矛盾《あいむじゅん》するものが含《ふく》まれていることがありますが、ぼくは、障害者であると同時に大阪人であるというアイデンティティをもっていますが、これらは矛盾するものではありませんね。「障害者であるのに大阪人だなんてなんか変!?」などと思ったり、人から言われたりすることはまずない。ところが、相互《そうご》に排他的《はいたてき》な複数のアイデンティティが一人の人間のなかに併存《へいぞん》していることもあります。「自分は非情に気が強い人間である」という思いと、にもかかわらず、「どういうわけか、ときにメチャクチャ気弱になってしまうんだよなぁ」という実感とが互いにぶつかり合い、「本当の自分はどっちなんだろう?」と悩むといったことはよくあることかと思います。この場合、どちらかが「本当の自分」で、もう一方はかりそめのそれだ、といった見方自体に問題があるようにぼくは思います。どちらもがともに「本当の自分」なのであり、あるいは、「本当の自分」などといったものを必要以上に追求《ついきゅう》しようとする行為《こうい》自体がナンセンスなわけで、そうした矛盾をも含めひとつのアイデンティティと考えた方がいいのではないかと。

ただ、そのようなかたちで折《お》り合いをつけるだけではことが済《す》まない場合もあります。矛盾の幅《はば》が大きすぎて心のバランスを欠くことになってしまったり、社会のまなざしと自身の実感とのあいだに大きな乖離《かいり》があり、その結果として分裂《ぶんれつ》が生じたようなケースです。同一性・統一性《とういつせい》を過度《かど》に強調することなく、矛盾をも包含《ほうがん》したものとしてアイデンティティを捉えなおすにしても、現にそこに葛藤《かっとう》をおぼえ、痛みを経験する人々は存在するわけです。

とりわけ、社会的な少数派に属《ぞく》する人たちの場合、周囲の人びとや社会がそそぐまなざしと自身が求めるそれとのあいだに大きな隔《へだ》たりがあることが多く、そのことがアイデンティティをめぐる深刻《しんこく》な葛藤を招《まね》きよせることがあります。たとえば、トランス・ジェンダーの人たちのある部分は、生物学的な性差と社会的な性差が一致《いっち》することを自明とした社会――正確には、そうした区別すら、大半の人びとは意識することのない社会――のもとで、親や周囲の人びとから与えられ、期待された生物学上の性に対応《たいおう》したアイデンティティと、自身が実感するジェンダー・アイデンティティとのあいだで引き裂《さ》かれ、心のゆらぎと葛藤を経験すると聞きます。「性同一性障害」とは、そのような葛藤をかかえた人たちに与えられた、あるいは、そうした人たちの一部が戦略的《せんりやくてき》に選びとらざるをえなかった名称《めいしよう》です。

また、本書でも記《しる》しましたが、軽度障害者のなかには、ときに自身を障害者と感じ、別の場面では健常者と感じる、もしくは、そもそものどちらにも自分を位置づけることができないといった具合に、定まった居場所《いばしよ》をみつけることができないことで、精神的につらいものを感じている人がいます。ここにも、障害者とはどのような人たちのことを指し、それは誰によってどういったプロセスで決められるのか、さらには、障害者—健常者という二分法《にぶんほう》がもつ意味など、問われるべき問題が潜《ひそ》んでいるように思います。

社会的少数派の問題に関わってアイデンティティという主題《しゅだい》を立てるとき、こうした角度からの切り込みは不可欠《ふかけつ》のものであるように思われます。アプローチはさまざまに可能です。次節《じせつ》からはそのひとつとして、スティグマという概念《がいねん》を軸《じく》に考察《こうさつ》をすすめてみることにしましょう。

スティグマとしての障害

スティグマとは、もともとは古代社会で奴隷《どれい》や法を犯《おか》した人などに押された焼《や》き印《いん》のことで、後《のち》にキリスト教世界では、聖痕《せいこん》を意味することばとしても用いられるようになりました。ほかにも、汚名《おめい》や恥辱《ちじょく》といった意味があります。

このスティグマということばを、社会学・社会心理学などでは、望《のぞ》ましくないもの、いまわしいものに与えられた属性《ぞくせい》、マイナスのイメージといった意味で使います。人種や民族、性別や性的志向《しこう》、学歴や職業など、さまざまなものがスティグマになります。特定の所作《しょさ》やふるまいが、「下品《げひん》なもの」「マナーに反するもの」としてスティグマの対象とみなされることもあります。ことばなんかもそうですね。地方のことばがからかいの対象となったりすることもありますよね。本当は、言語《げんご》にしろ、方言《ほうげん》にしろ、優劣《ゆうれつ》も美醜《びしゅう》もないんですけどね。ただ特徴《とくちょう》があるだけ。

障害もまた、そのようにこの社会にあって、マイナスの意味をわりふられたもののひとつです。目が見えなかったり、耳がきこえなかったり、手足が動かなかったり、考えたり記憶《きおく》したりすることが周囲の多くの人たちのようにできなかったりすることは、この社会では否定的《ひていてき》な意味をもちます。アザや傷跡《きずあと》、手指の欠損《けっそん》・変形の一部など、機能面・能力面での差異《さい》が認められないようなケースでも同様です。むしろ、場合によっては、そうした「見た目」に関わる事柄《ことがら》の方が、「望ましくないもの」を超《こ》えて「いまわしいもの」として忌避《きひ》される確率《かくりつ》が高いかもしれません。

このように書くと、「いや、確かにそうした傾向は完全には払拭《ふっしょく》されていないかもしれないが、共生《きょうせい》やインクルージョン、多様性《たようせい》の尊重《そんちょう》といったことが言われるようになってかなりの年月も経ち、いまや、そのように考える者は少数派になったのではないか。制度面《せいどめん》での立ち遅《おく》れは認《みと》められるにせよ、少なくとも良識《りょうしき》ある人びとは、障害者のことを否定的な目でなど見ていないのではないか……」といった疑問が返ってくるかもしれません。確かに、障害の種類によっては否定性が緩和《かんわ》されたものもあるかもしれませんし、状況《じょうきょう》や場面によっては、以前と比較《ひかく》すると忌避感やマイナス・イメージが小さくなったといったようなこともあるでしょう。けれど、障害一般がスティグマでなくなったわけではないし、障害の種類によってはネガティブなイメージが拡大《かくだい》されたものもあるように見受けられます。

障害がいまだスティグマであり続けていることを証拠《しょうこ》づけるひとつの事例《じれい》を挙《あ》げましょう。「五体満足《ごたいまんぞく》」ということばの存在がそれです。たんに存在するだけでなく、ふつうに使われることばでもあります。「めくら」とか「つんぼ」のように、存在はしているが、過去《かこ》においてはともかく、現在では多くの人はあまり口にすることがないことばとはちがっています。乙武洋匡《おとたけひろただ》さんの著書『五体不満足《ごたいふまんぞく》』の登場以降《とうじょういこう》、このことばを従来《じゅうらい》どおりの意味で用《もち》いることに躊躇《ちゅうちょ》をおぼえるようになった方もいらっしゃるかもしれませんが、多くの人たちはそのメッセージを読みちがえて、相《あい》も変わらず「五体満足」ということばを無邪気《むじゃき》に使っている。このことばが表現するのは、五体が「満足」である者とない者を切り分け、後者を忌避する感覚です。正常圏内《けんない》と正常圏外《けんがい》ということですね。出産《しゅっさん》を前にして「五体満足でありますように」と願う親や周囲の人びとの心は邪気《じゃき》のないものかもしれません。「五体満足」ということばを使うことが問題なのではありません。無意識であれ、障害者を忌避する感覚がその背後《はいご》に潜《ひそ》んでいることに気づいてほしいのです。こうした事実ひとつをとっても、障害がスティグマとなってしまっているという現実は否定しえないでしょう。

ただ、誤解のないように記しておきますが、障害それ自体が常《つね》にスティグマを内包《ないほう》していたり、本質《ほんしつ》としているわけでは決してありません。ある属性《ぞくせい》や事柄《ことがら》・行為がスティグマとなるかどうかは、そこがどのような社会であるか、そこでどのような関係がとり結ばれているかによって決まります。時代が変わり社会が変われば、それまでスティグマであったものがそうでなくなったり、逆に、かつてはなんでもなかったものや、よその地域《ちいき》、別の文化圏にあってはプラスの意味をもったものが負の意味をおび、スティグマとなるといったこともあり得ます。また、同じ社会・文化のもとでも、場面が変わり、与えられる文脈が変われば、同じひとつのもの・行為がスティグマになったりならなかったりと異なる相貌《そうぼう》を示すこともあります。

先にスティグマとなるものの一例として方言を挙《あ》げましたが、地方の諸《しょ》方言がいつの時代、どの地域にあっても否定的に扱《あつか》われてきたかというとそうではない。少なくとも、いま現在のように、当《とう》の土地にくらす人たちの一部までもが土地のことばに否定的な感覚を抱《いだ》くようになったのは、かの地が政治経済的に周縁《しゅうえん》へと追いやられて以降のことです。地方のことばがスティグマ化する過程《かてい》では、学校を通した国語教育や、活字や放送などの集権的《しゅうけんてき》なメディアも大きな役割を果《は》たしました。

また、いわゆる「一流大学」を出ていることは一般的にはスティグマなどではありませんし、それどころかポジティブな意味をもつことがふつうですが、高卒や中卒の人たちが大半を占《し》める集団内部においては、ときにこれがスティグマとなり、からかいや排斥《はいせき》の対象《たいしょう》となることがあります。その空間の磁場《じば》がどのようなものであるかによって、なにに負の烙印《らくいん》が押されるかは変わってくるのです。

スティグマとは、ひとつの関係の表現にほかなりません。障害がスティグマとなるのは、障害をスティグマとするような関係がそこにあるからです。障害それ自体が本質的に否定的なものであるわけではない。たとえば、視覚障害であるということはいまの支配《しはい》文化のもとではほとんどマイナスの意味しかもち得ませんが、ある時代のある地域にあっては、神仏《しんぶつ》や祖霊《それい》のことばを預《あず》かる特別な存在としてプラスの意味をもっていた。同じ盲《もう》という状態でありながら、一方はスティグマを付与《ふよ》された存在、他方はむしろその逆《ぎゃく》の存在だったということです。厳密《げんみつ》に言うならば、そうしたシャーマンとしての取り扱いも別のかたちの排除、つまり特別視《とくべつし》であるわけですが、少なくともそれは、現在、ぼくたちが知るようなかたちでの下方向への排除ではなく、いわば上方向への排除であり、スティグマの付与とは別の取り扱いがあり得たというひとつの例証《れいしょう》にはなるでしょう。

言ってみれば、スティグマとは可変的《かへんてき》なものだということです。貼《は》りつけられたらおしまいといったようなものではない。ひきはがすことだってできるのです。関係を組み替《か》えること、社会を変えていくことで、障害とスティグマを切り離すことは可能です。

とはいえ、それは理屈《りくつ》の上での話で、現実にスティグマをひきはがす作業はそう容易《ようい》ではありません。なにより時間がかかります。また、あるものに貼りついていたスティグマをはがすことに成功したはいいが、今度は、それまで負の意味などもたなかった別のものがにわかにスティグマ化する、といったようなことも考えられます。スティグマとの闘《たたか》いは、もぐら叩《たた》きのようなものです。おそらく永続的《えいぞくてき》なものとならざるを得ないでしょう。

ちょっと話を先にすすめすぎたかもしれません。スティグマとの闘いは重要な課題ではありますが、スティグマを貼られた人間の多くは、ただちにそのような方向に向かうわけではありません。まずなによりみずからを苛《さいな》む否定的な感覚に悩み、そこから逃《に》げ出るための抜《ぬ》け道を探《さが》します。正面《しょうめん》きってスティグマの解消《かいしょう》を求めるだけでなく、いくとおりもの対応がそこには認められます。次にスティグマを貼られた障害者がとりうるいくつかの対応について見てみたいと思います。

スティグマとどう向き合うか

障害に限らず、スティグマを貼られた人びとがとりうる態度・対応としては、大きくわけてつぎの三つが考えられます。

①スティグマを受け入れる

②スティグマを貼りつけられないよう、あるいは、スティグマの効果が少しでも小さく見えるよう方策《ほうさく》を講《こう》じる
③障害がスティグマとみなされるような社会を変える

順に見ていきましょう。

まず、スティグマを受け入れるという対応ですが、否定的なまなざしを向けられてこころよく感じる人などふつうはいません。しかし、「お前は××だ」といったことを始終《しじゅう》聞かされたり、そういった目で見られることを続けていれば、たとえ自身にとって不愉快《ふゆかい》なものであったとしても、たいていの人はそれを「事実」として受け入れてしまうものです。直接接する機会のある人たちの発言や態度もそうですが、マスメディアやネットが提供《ていきょう》する情報《じょうほう》も、無視《むし》できない影響力《えいきょうりょく》をもちます。

前節《ぜんせつ》でも記《しる》したように、多様性の尊重やインクルージョンのかけ声のもと、障害者をまなざすまなざしにはそれなりの変化があったかもしれません。けれど、障害がス

ティグマでなくなるといった状況にはいまだほど遠いのが現状です。車いす利用者に対し、露骨《ろこつ》なさげすみやあわれみのまなざしを向ける人は少なくなったかもしれませんが、多くの人びとは、車いすで移動することを自身の足で歩くことと等価《とうか》の、移動方法のひとつのバリエーションとは考えていませんし、できることなら足で歩けた方がいいと思っていることでしょう。そこには、一切《いっさい》の悪意はないかもしれません。しかし、そうした見方・考え方を多くの人がとることによって、足で歩かないということは「正常」でないこととみなされ、スティグマとなってしまうのです。

障害者は少なくとも過去の一時期、多くの場合はその後においても、大なり小なりスティグマを受け入れ、自分のからだやそのふるまいに否定的な感覚を抱《いだ》くという経験をもちます。すでに記したとおり、このような書物を綴《つづ》っているぼくとて例外ではありません。いま現在のぼくは、日常的に障害を否定的なものと感じて、目が見えないということ、なにかができないということを後ろめたく思ったり、はかなんだりすることはありませんが、それでも、精神的にやや落ち込み気味《ぎみ》のときなどに、障害に関わるなんらかのトラブルにみまわれたりすると、あたかも障害それ自体が否定的なものであるかのような錯覚《さっかく》にとらわれてしまうことがあります。理屈《りくつ》ではわかっているんですけどね、そうではないんだと。それでも、否定的な感覚から100パーセント自由になることはできない。難《むずか》しいですね。

ひとくちに「スティグマを受け入れる」と言っても、その程度やかたちは人によってさまざまです。ぼくのように、障害に関わり嫌《いや》な経験をした直後や、心が弱っていたりするときなどに、時折《ときお》り顔を出すといった程度《ていど》の人もいれば、否定的な自己像《じこぞう》に日々苦しめられたり、大きな負《お》い目《め》を感じている人まで、いろいろな人がいることでしょう。ぼく自身、視力低下と進学の時期が重《かさ》なり、それまで思い描《えが》いていた道に進むことが難しいと思われた一時期など、いまとはくらべものにならないくらいに大きな否定的感覚にとらわれたことがあります。幸《さいわ》いにも、そうした時期は短いもので済《す》みましたけれど。

もうひとつ、つけ加えておきたいことがあります。スティグマの受け入れは、たんに否定的な感覚を招《まね》きよせ、障害者にしんどい思いをさせるだけのものではないということです。本来《ほんらい》ならばとりうる行為に制限を加えたり、場合によっては、その人の人生をあらぬ方向に導《みちび》いてしまうことまであります。障害がスティグマとみなされることで、他者による排除や差別が合理化されるだけでなく、スティグマを受け入れた障害者は、自らの手で自分に枷《かせ》をはめてもしまうのです。

障害をスティグマとして受け入れた者、とりわけ、そこに強く縛《しば》られた者にとって、自身が障害者であることがばれたり、障害が目立ったりすることは非常に苦痛《くつう》をともなうことです。そういった結果が予想される行為をなるだけ回避《かいひ》しようとする心理がはたらくことは、容易《ようい》に想像《そうぞう》がつくことでしょう。

一方、人生云々《うんぬん》というのは、こういうことです。否定的なまなざしにさらされ続けた結果、自己評価が低くなり、人生の岐路《きろ》において、本来ならばあるはずの選択肢《せんたくし》を見落としてしまったり、「ぼくにできるわけがない」と最初からあきらめてしまう、からだに目立つ痣《あざ》があるために水泳選手への道を躊躇する、などといったかたちで、もしかしたら選べたかもしれない道を視野の外に置いてしまう。後者の例とくらべ前者はやや複雑で、スティグマの受け入れだけによってもたらされるものではないかもしれないけれど、そこにスティグマが関与《かんよ》していることもまちがいありません。

このように、スティグマを受け入れることで、障害者はさまざまな葛藤や困難を抱え込むこととなります。できることなら、そのようなものは受け入れたくない。けれど、先にも述べたとおり、本人の意志とは関係なく、否定的な自己像は形成されてしまうのです。少なからぬ障害者が、他者からスティグマを貼られるだけでなく、いわば、自らの手で自身にスティグマを貼りつけてしまってもいるわけです。

とはいえ、障害者は、ただ一方的にスティグマを受け入れるだけの受動的な存在ではありません。

逃げろ！、スティグマから

スティグマの貼《は》り付《つ》けに対し、障害者が示す能動的な対応には、大きく二つの方向があります。ひとつは、障害がスティグマとなってしまう社会状況それ自体はとりあえずそのままに、そのもとで、スティグマを貼られないよう工夫《くふう》したり、スティグマの効果が少しでも小さくなるよう方策を講じるといったかたちでの対応です。ここでは仮に、このタイプの対応《たいおう》を「スティグマからの逃走《とうそう》」とよぶことにしたいと思います。逃げろ！　スティグマから、ということですね。

もうひとつは、障害がスティグマとみなされ否定的な意味が割りふられてしまうようなそんな社会、人びとの関係の在《あ》り方を根本《こんぽん》のところから変えていこうという方向です。こちらを仮《かり》に「スティグマとの逃走」と名づけることにしましょう。たとえて言うならば、前者《ぜんしゃ》は、飛んできた石に当たらないよう、姿勢《しせい》を低くしたり、物陰《ものかげ》に身《み》を伏《ふ》せたりすること、後者《こうしゃ》は石が飛んでくるという事態《じたい》そのものをなんとかするといったイメージです。

まずはひとつめ。スティグマの貼り付けによりもたらされる否定感を消去《しょうきょ》する最《もっと》も手っとり早い方法は、周囲の人びと、あるいは、自分がいま向き合っている相手に与《あた》える情報をコントロールして、スティグマと結びつく特徴《とくちょう》を隠してしまうことです。これについては、本書第3章「どっちつかずである生きにくさ」で具体例を示しつつ、半分は説明しているので、重なる部分については繰り返しません。そもそもは、そのような手段《しゅだん》など用いずとも社会的な不利益《ふりえき》を被《こうむ》ったり、生きづらさをおぼえたりすることなしにくらせる状況をつくり出すことこそが本筋《ほんすじ》なのであって、その場しのぎの対処療法《たいしょりょうほう》など切って捨てるという立場もありうるかと思います。けれど、一朝一夕《いっちょういっせき》に社会が変わるなどといったことがありえない以上、好《この》むと好まざるとにかかわらず、駆使《くし》できる技法《ぎほう》はとにもかくにもなんでも使う以外にないというのが現実です。。世の中、正面突破《しょうめんとっぱ》の正攻法《せいこうほう》だけでは生きられません。人にもよるでしょうが、もしかしたら、あなただってちょっとしたワザで生きづらいこの社会を泳《およ》ぎ抜《ぬ》けていることがあるかもしれませんよね。それはまったく正当《せいとう》な生きようだと思います。

ポジティブなイメージとカモフラージュ

スティグマから逃れるための戦略《せんりゃく》はさまざまに考えられるわけですが、それぞれの方法には、それぞれに、利用できる人、利用可能な場面に制約があります。ご紹介《しょうかい》してきた方法も同様《どうよう》で、先にお話しした偽装《ぎそう》作戦は、あたかも障害がないかのごとくふるまったり、実際よりそれを小さく見せる余地《よち》のある人にのみ許されるものです。たとえば、重度の脳性《のうせい》マヒの人など、一見《いっけん》してそれとわかる特徴《とくちょう》をもつ人には、この方法は選択可能なオプションとはなりえません。また、その余地がある人でも、場面や状況により、偽装が可能だったり可能でなかったりということがあります。短いやりとりにくらべ、込み入った会話では、充分《じゅうぶん》にきこえていないことが相手にさとられやすいでしょうし、腕《うで》や手指、首の障害などを隠すために選んだ服装《ふくそう》が、もし季節《きせつ》にふさわしくないものだったら、それ自体がすでに奇異《きい》なものとして周囲の人たちの注目を集めてしまう恐《おそ》れがある。

これにくらべると、今回ご紹介《しょうかい》する方法は、外見《がいけん》やコミュニケーションの過程で障害が露呈《ろてい》していようがいまいが関係なく利用可能であるという意味で、より汎用性《はんようせい》が高いと言えるかもしれません。目印となる特徴を隠すのではなく、貼り付けられた負の意味を打ち消すだけのインパクトをもつもの、つまり、スティグマを相殺《そうさい》するほどのプラスの価値をもったなにかを対置《たいち》しカモフラージュをはかるという作戦です。

以下に掲《かか》げる数値《すうち》はあくまで便宜上《べんぎじょう》のものにすぎませんが、たとえば現在ある障害に貼りつけられている値が〝－５〟であるとしたら、〝＋５〟より大きな値《あたい》を前面に押し出してやればいいのです。そうすれば、得られる値はゼロないしプラスとなる。あるいは、たとえ加算《かさん》できるのが〝＋３〟でも、値は〝－２〟と現在よりはマイナスは小さくなります。

障害を始めとして、それぞれの時代、それぞれの社会のもとでマイナスの意味を割《わ》りふられ、スティグマとみなされるものがあるのと同様、その時代、その社会においてプラスの意味をもち評価《ひょうか》されるもの、ふるまいといったものが厳然《げんぜん》としてあります。ことによっては情《なさ》けないものも含んではいるのですが、ときにアホらしくとも利用できるものは使わせてもらいましょう。そうしたものを動員《どういん》することで、スティグマを相殺しようというのがこの作戦です。

たとえば、医師《いし》や弁護士《べんごし》といった「ステイタスが高い」とされる職業がその典型《てんけい》です。お医者さんや司法《しほう》関係者の中にはその本来の職責《しょくせき》を果たすべく立派《りっぱ》な活躍《かつやく》をされている方が数多くいらっしゃる傍《かたわ》ら、そうでもない方々もおそらくはおいでになるものと予想《よそう》されます。このあたりは、どんな職業においても変わりないかと思います。そのような偏差《へんさ》とは関わりなく、さしあたり、現在、ぼくたちのくらすこの社会においてこれらの職業が高いステイタスをもつことはまちがいのないところでしょう。多くの人たちは、それらの職業に威信《いしん》を感じ、それにふさわしいまなざしを向ける。もちろん、個々《ここ》には懐疑《かいぎ》の視線《しせん》を向ける人はいるでしょうが、信頼度《しんらいど》の高い社会学の調査《ちょうさ》結果《けっか》は、これらの職種が相対的《そうたいてき》に高い職業威信を維持《いじ》していることを示しています。

スティグマを貼られた人々の場合、こうした職業についていることの効果《こうか》は、そうでない人たちの場合よりも劇的《げきてき》です。たとえば、ここに車いすを使う二人の人間がいたとします。外見や話し方など、一見《いっけん》して受ける印象《いんしょう》はほとんど変わるところのない二人ですが、ただひとつ、一方は弁護士であり、よく見ると弁護士バッチをつけている点だけがちがっています。どちらに対しても、変わらぬ態度で接する人も、もちろん少なくないかとは思います。けれど、明らかにちがった対応を示す人間も確実に存在するのです。ことばづかいや選ぶ話題まで変わることがあります。

ぼくも、非常勤講師《ひじょうきんこうし》という経済的《けいざいてき》には不安定かつ低所得《ていしょとく》の身分《みぶん》であるとはいえ、大学教員という世間的《せけんてき》には比較的ステイタスが高いとされる職業についていることから、そうした取り扱いのちがいを日常的に経験しています。それまで、ぼくの年齢《ねんれい》を考えるとふさわしくない、極端《きょくたん》に言えば子どもに話しかけるときのような甘《あま》ったるく噛《か》んで含《ふく》めるような話し方をしていた人が、話の流れでぼくが自分の職業を告《つ》げたとたん急に、ですます調《ちょう》の丁寧《ていねい》な話し方に変えたなどという腹立《はらだ》たしい経験をしたことがあります。おそらく、はっきりそれと意識してのものではないのでしょうが、彼にとって障害者とは、子どもに対するような話し方で接《せっ》するのがふさわしい存在だったんでしょうね。職業を告《つ》げることで、彼の脳内《のうない》におけるぼくの現住所は、「障害者」から、それとは別個《べっこ》の扱いを要《よう》する場所に置き換えられたわけです。まあ、こういう極端な事例《じれい》は、ぼく自身はたまたま高齢《こうれい》の男性相手に数回経験したにすぎませんが。

ここまで極端なことは滅多《めった》にないにせよ、こちらの職業を知る前と後で相手の対応が変化することはめずらしくありません。おもしろいですよ、その落差《らくさ》。障害者がどのような目で見られているかがよくわかります。職業の威信を利用することで、ぼくはそうしたナマのまなざしからある程度逃《のが》れることができているわけです。ねらってのものではないけれど、そのことで、ずいぶんと楽《らく》をしているんじゃないかと思います。

職業以外にも、同様の効果《こうか》をもつものはたくさんあります。たとえば、パラリンピックで優秀《ゆうしゅう》な成績《せいせき》を上げたという実績《じっせき》。優《すぐ》れたアスリートであるということは、この社会では敬意《けいい》の対象となります。優れた成績を上げることができなくても、スポーツをやっているということ自体プラスの意味をもちますから、そのことだけでもスティグマを相殺する効果はある程度期待できるでしょう。とりわけ、身体に障害をもつ者がその身体を積極的《せっきょくてき》に動かすという一見逆説《ぎゃくせつ》と見える事実に、人びとはファンタジーをふくらませるようです。よきにつけ悪《あ》しきにつけ、そうした幻想《げんそう》もまた、スティグマを相殺するための資源《しげん》のひとつとして利用されるわけです。

ほかにも、音楽や美術などの芸術活動や、いわゆる「一流大学」への進学、果ては、「明るい」「がんばっている」などの日常の態度・性格まで、スティグマを相殺したり軽減《けいげん》したりする効果が期待できる資源《しげん》はたくさんあります。もとより、その効果の大小はさまざまで、若干《じゃっかん》、針《はり》をプラスの方向に戻す程度の影響《えいきょう》しかもたらさないものから、先に述《の》べたような、劇的な態度の変化を引き出すものまで、ずいぶんと幅《はば》はあるわけですが。

ところで、今回ご紹介したこの戦略は、前回見てきたそれとは異なり、必ずしも、あらかじめ目的をもったものとして、あるいは、それ自体独立《どくりつ》した戦略として行使《こうし》されるわけではないという特徴をもちます。現在の日本、そして障害者ということに限定《げんてい》して見るならば、むしろそれは、他《た》の目的のためになされた行為・選択の結果であり、いわば「おまけ」のようなものであることの方が多いかもしれません。否定的なアイデンティティを払拭したいから弁護士になるわけではありませんよね。法律の仕事に関心があるから、あるいは、法をとおして問題の解決に寄与《きよ》したいから弁護士をめざすのでしょう。所得面《しょとくめん》など、もう少し生臭《なまぐさ》い理由から職業を選択することもあるかもしれませんが、この場合も、第一の目的は裕福《ゆうふく》になりたいという思いであり、そこに他人からうらやまれたいという願望《がんぼう》が仮に含まれるにしても、スティグマの払拭云々といったこととは位相《いそう》を異《こと》にするものであるように思えます。なかには否定的なまなざしへの反動から、「見返してやる！」といった思いから社会的ステイタスの高い職業に就《つ》くことをめざす人もいなくはないかもしれません。けれど、こと現代日本の障害者に関する限り、そういった人はもはや少数派ではないでしょうか。

スポーツや芸術活動についても同様です。周囲のまなざしの変化を求めて、車いすバスケットやピアノのレッスンに打ち込むわけではない。それが好きだから、極《きわ》めたいから練習にはげむというのがふつうでしょう。

ただし、同じようにスティグマを貼られた人たちでも、障害者以外の人たちについてはまた事情が異なるかもしれません。スティグマにともなう差別が大きければ大きいほど、負の烙印を払拭することそれ自体を目的に、威信の高いイメージや職業免許《めんきょ》等につながる選択をせざるをえない人びとがいることは想像に難《かた》くありません。時代や地域《ちいき》がちがえば、障害者についても、スティグマの軽減それ自体を目的として、特定の職業や趣味《しゅみ》が選びとられたりといった事例が多く認められることもあるでしょう。少しでもスティグマを小さくすべく、無理をしてでも明るくふるまうよう努《つと》めている、というようなかたちでなら、いまの日本でも、それ自体を目的として、これを行っている障害者は少なくないようにも思います。

ところで、これまでぼくは、〝−5〟という現在値に〝＋5〟を加える、といった説明をしたり、「相殺」や「軽減」といったことばを使ったりしてきましたが、厳密《げんみつ》に言うと、これらは正確な表現ではありません。話をわかりやすくするためのアバウトなたとえだとご理解いただければと思います。ポジティブな意味をもつなにかをもってきたからといって、障害に貼りつけられたスティグマが、実際になくなったり小さくなったりするわけではないのです。見せかけ上そのようになるだけで、あるいは、後景《こうけい》にしりぞき目立たなくなるだけで、〝−5〟は〝−5〟として依然《いぜん》としてそこにあるのです。

その証拠に、たとえ医師の国家試験に合格したとしても、彼・彼女に向けられるのは、「障害があるにもかかわらず医者になった」という評価にすぎません。必ず「障害があるにもかかわらず」「障害者なのに」といった枕詞《まくらことば》がつくのです。健常者が医者になった場合のそれとは明らかに異なる。彼が医者であることをもって「よい縁談《えんだん》相手」

と考え、ここぞとばかりに見合い話をもち込む仲人《なこうど》好きのおじさんやおばさんなど滅多《めった》にいないことでしょう。マッチングアプリでのカップル成立率《せいりつりつ》も同様。

話題を戻しましょう。結局のところ、先の偽装作戦と同じく、マイナスの意味をもつ障害を後景に追いやるために、プラスの意味をもつなにがしかをもってくるこの方法も、根本のところでの問題解決にはならないということです。後景にしりぞいてはいても、そこにスティグマがあることに変わりはありませんし、常にそれがエクスキューズとしてつきまとうのです。与えられる文脈が変われば、つまり、場面や主題に変化があれば、さきほどまで後景にしりぞいていたスティグマは、あっという間に前面に躍《おど》り出て、彼、彼女のアイデンティティに影《かげ》を落とすことになるのです。彼、彼女は、どこまでいっても「義足《ぎそく》のアスリート」であり「全盲《ぜんもう》の大臣《だいじん》」と称《しょう》されてしまう。さすがに、ローランド・カークやスティーヴィー・ワンダークラスの大物ミュージシャンになると、「盲《もう》」なんてことは二義的《にぎてき》になってる気はしますが。でも、悲しいかな、彼らはレアケースだろうと思います。時代もありますが、第三十二代アメリカ合衆国の大統領《だいとうりょう》、フランクリン・D・ローズベルトなんて極力《きょくりょく》、障害を隠していたしなあ。

障害がスティグマでなくなる社会

いくら上手に身《み》を伏《ふ》せても、永遠にとびから石飛礫《いしつぶて》から身をよけ続けることなんてできはしません。いつかはガツンとダメージを受けることになる。結局、根本的な問題解決のためには、石を投げることとそれ自体をやめさせなければならないのです。そうすれば、飛礫にふるえ身を伏せる必要もなくなる。そのための取り組みが「スティグマとの闘争《とうそう》」です。

ただ、残念《ざんねん》ながら、障害がスティグマとみなされないような状況をつくり出すための闘いは、石飛礫のたとえ話のように単純《たんじゅん》にはいきません。石を投げることをやめさせるのなら、説得《せっとく》するなり、投げているやつに、「バカヤロー、痛いじゃないか！」と怒鳴るなり、それでも投石をやめないなら実力でもってふん縛ってしまえばいい。けれど、スティグマは石飛礫のように、必ずしも悪意《あくい》ある個人がそれと意識して投げつけてくるものとは限りません。やっかいなことに、人びとはたいていの場合、自分たちが他人に対し否定的なラベルを貼りつけているなどとは意識せぬまま、それを行っているのです。

たとえば、ぼくに対し、子どもに向きあうかのような口調で話しかけてきたおじさんは、おそらく、障害者をバカにしているからそのようにしたのではないと思うのです。はっきりそれと意識することもなく、ただそのように接するのがあたりまえと思ったから、あるいは、そのように話した方が通じよいと思ったから、そうしたのではないでしょうか。そこには、障害者の能力を実際より低く見積《みつ》もるというある種《しゅ》の偏見《へんけん》はあったかもしれませんが、相手を卑《いや》しめようという意図《いと》があったわけではない。少なくとも、意識されたものとしては、そのようなものはたぶんなかったろうと思います。むしろ、あるのは「やさしさ」だったかもしれません。事実、彼はぼくに対し、非情に親切でした。にもかかわらず、彼の態度はぼくのプライドを傷《きず》つけ、否定的な感覚をおぼえさせるものだったのです。じつにやっかいですね。

すでに見てきたとおり、スティグマを生み出すのは、個々の人間の心それ自体ではありません。人と人とが出会い、関係が生まれるその瞬間《しゅんかん》に、スティグマもまた生み落とされるのです。そして、個々の関係がどのようなものになるかは、その社会を覆《おお》うより大きなルール・秩序《ちつじょ》によって方向付けられます。ぼくたちは、はっきりそれと意識しなくとも、目の前にいるのが誰なのか、そこがどういう場なのかによって、半自動的に適切《てきせつ》と思われることばや態度《たいど》を選んでいます。オフィスで仕事の打ち合わせをしているときと、ソファで恋人と語り合っているときとでは、話す内容だけでなく、自然とことばつきや表情まで変わりますよね。そのようであるべきだとするルール・秩序に、知らず知らずのうちにしたがっているためです。それに違反《いはん》すると、マナー違反としてとがめられたり人間関係がぎくしゃくしたりという結果を招《まね》きます。よくもわるくもコミュニケーションとはそのようなものであり、先のおじさんの態度も、そうしたルールから導《みちび》き出されたものです。

ですから、ただ個々の人間の意識を変えるだけでは、スティグマであるものをスティグマでなくすことはできないのです。障害にネガティブな意味をわりふったり、尊厳《そんげん》を傷つけるような態度を招きよせる現行《げんこう》のルール・秩序を組み替えていかなければなりません。人は、すべてを「意識」によってコントロールしているわけではありませんからね。自動化された反応にまで変更《へんこう》を加えるには、それを方向付けるルールにまで分け入る必要がある。

それに、ルールをそのままにしていたのでは、なんらかのきっかけで、せっかくそこから踏《ふ》み出そうとする人間がいたとしても、その人までもが「逸脱者《いつだつしゃ》」として否定的な取り扱いを受けてしまう危険性《きけんせい》があります。障害をもつ友人に向けて、まさに「友人」であるからこそ出てくる障害にかかわるブラックなジョークを投げた健常者がいたとします。偶然《ぐうぜん》それを耳にした周囲の人びとはどのような反応を示すでしょう。ちょっと口はわるいが仲のよい友人同士の会話として、苦笑《にがわら》いしつつもほほえましく受けとめてくれるでしょうか。運がよければそういうこともあるでしょう。地下鉄の駅で柱にぶつかったぼくと、それを見て笑った親友のように。でも、ちょっとなにかがずれていれば、友人は柱に激突《げきとつ》した視覚障害者を笑う冷血漢《れいけつかん》と勘違《かんちが》いされたかもしれません。

共生《きょうせい》や多《た》様性《ようせい》といったふわふわしたことばだけが一人歩きするこの社会のこと、大方の人は、その前後にある文脈、多層的《たそうてき》な関係性の存在を想像することなく、「障害者に心ないことばを投げつける者」に対し、冷《ひ》ややかな視線《しせん》を向けるのではないでしょうか。そこまでいかないにしても、少しひいてしまう、といった反応が一般的であるように思います。これはひとつの例にすぎませんが、そうした人々の反応が、いったん訪《おとず》れた変化をふたたびもとの場所へと押し戻す力として作用してしまう危険性はないでしょうか。あまりにもったいないことです。ルールは必要でしょう。でも、いまあるルールに問題があるなら、別のルールに書き換《か》えてしまえばいいのです。石飛礫がビュンビュンと眼前《がんぜん》をとびかうようなルールはまっぴらごめんですが、一見、飛礫なんてほとんどとんでこないように見えて、じつは多くの人に見えないところでガツンゴツンとヒットしているなんて状況も最悪《さいあく》です。なんとか、こんなルールを変えたい。

とはいえ、ここがやっかいなところなのですが、このルールというのは、直接手を加えて書き換えることができない類《たぐい》のものなのです。トランプなら、「じゃあ、ババ抜《ぬ》きをやめて七並《しちなら》べをやろう」といった具合《ぐあい》にゲームをする、つまり、思い立ったらすぐに別のルールで遊ぶことが可能です。ババ抜きでは悪玉《あくだま》だったジョーカーも、七並べでは万能《ばんのう》のワイルドカードとなります。ところが、ぼくたちのものの見方や考え方、コミュニケーションのあり方などを方向付けるルールは、そのようには変更ができません。

では、どうすればいいのでしょう。じつのところ、まだはっきりとした解答は出ていません。さまざまな試《こころ》みはなされています。その一部は一定《いってい》の成果《せいか》をおさめてもいるでしょう。けれど、ババ抜きが七並べになり、ジョーカーの役割《やくわり》が１８０度転倒《てんとう》するような劇的な変化を、ぼくたちはまだ経験することができずにいます。

ただし、ヒントがなくはありません。ものの見方や感じ方、コミュニケーションを方向付《ほうこうづ》けるルールは、人びとが実際に、なにかを感じたり、考えたり、行ったりの繰り返しのなかから生まれ、それが継続的《けいぞくてき》に繰り返される結果として存在し続けます。そこにちょっと小石を投げ込んでさざ波を立ててやればいいのです。ある行為を見て、誰かが「もしかして、いいんじゃないの」という。「見ようによってはかっこいいかも」と言う。「すごい!」とか「メッチャいい!」とか大胆《だいたん》である必要はありません。もちろん、大胆でもいいんだけれど、大胆なことを言ったりやったりするには相当な覚悟《かくご》か思いっきりのよさが必要です。そこまでじゃなくていい。「もしかして」とか「見ようによっては」とか、ほんのちょっとでいいからコミュニケーションの流れに変化を与えてみる。なにも変わらないかもしれないけれど、ときにそこから流れがほんの少しずれていくかもしれない。小さな渦《うず》が起《お》こるかもしれない。そうしたらチャンスです。それに共感する人たちが、同じように「かっこいい」と繰り返すかもしれない。なかには、一儲《ひともう》けをたくらんでか、心ではそのように思ってはいないけれど、「かっこいい」と大声で宣伝《せんでん》してまわる人も出てくる。動機《どうき》は不純《ふじゅん》かもしれないけど、それだってひとつの力です。マスメディアやウェブ媒体《ばいたい》がこれを増幅《ぞうふく》したりすることもあるでしょう。SNSもここに加わる。

そうした声が、「そんなの偽善《ぎぜん》だ」「かっこよくない」「ただ冷笑《れいしょう》するのみ」という反応を凌駕《りょうが》したとき、それは新しいルールとして機能《きのう》し始《はじ》めます。

ひとつのルールがこのようなプロセスの中から起《た》ち上《あ》がります。だれかが既存《きぞん》のルールから少しはみ出してみること。そうしたささいなはみ出しのなかから、可能性を秘《ひ》めた新しいルールの萌芽《ほうが》は生まれるのです。

谷川俊太郎《たにかわしゅんたろう》さんからの四つの質問《しつもん》への倉本智明《くらもとともあき》さんのこたえ

「何がいちばん大切ですか？」

これかな、あれかな、いや、こっちも、う〜ん、どう答えよう……、と悩《なや》むことができること。

「誰《だれ》がいちばん好《す》きですか？」

書いたとたん嘘《うそ》くさくなりそうなので書きません。

「何がいちばんいやですか？」

ユーモアを解《かい》せなくなってしまうこと。

「死んだらどこへ行きますか？」

ひばり屋。（↑意味はありません。深く考えないように）

倉本 智明（くらもと・ともあき）1963 年、大阪府生まれ。大阪府立大学大学院社会福祉学研究科博士後期課程単位取得退学。関西大学、関西学院大学非常勤講師を経て、2012 年 3 月まで、東京大学大学院経済学研究科特任講師を務める。障害という側面から社会を分析し、そのしくみを問うていく「障害学」をフィールドとして執筆を続けている。20 代前半までを弱視者として過ごし、現在は全盲だが、主夫の経験を活かして家事全般をこなす。得意料理は、けんちん汁。編著に、『セクシュアリティの障害学』（明石書店）、『手招くフリーク――文化と表現の障害学』（生活書院）、『障害学の主張』（石川准との共編、明石書店）、『障害学を語る』（長瀬修との共編、エンパワメント研究所）ほかがある。

増補新版　だれか、ふつうを教えてくれ！

2024 年 1 月 20 日　初版第 1 刷発行

よりみちパン!セ®
YP15

著　者　倉本 智明
発行者　塩浦 暲
発行所　株式会社　新曜社
101-0051　東京都千代田区神田神保町3-9
Tel: 03-3264-4973　Fax: 03-3239-2958
e-mail: info@shin-yo-sha.co.jp
URL: https://www.shin-yo-sha.co.jp/

装画・挿画　100% ORANGE ／及川賢治
ブックデザイン　祖父江 慎＋根本 匠（cozfish）
印刷・製本　中央精版印刷株式会社

Printed in Japan ISBN 978-4-7885-1835-3 C0095